수시
학생부종합으로
대학가기

수시 학생부종합으로 대학가기

발　행 | 2024년 04월 16일
저　자 | 최윤성
펴낸이 | 한건희
펴낸곳 | 주식회사 부크크
출판사등록 | 2014.07.15.(제2014-16호)
주　소 | 서울특별시 금천구 가산디지털1로 119 SK트윈타워 A동 305호
전　화 | 1670-8316
이메일 | info@bookk.co.kr

ISBN | 979-11-410-8131-7

수시
학생부종합으로
대학가기

지은이 최 윤 성

| 목차 |

들어가기

이 책의 목적

오래 입시 현장에서 있으면서 '학부모님의 대입전형에 대한 명확한 이해'가 학생의 진학에 큰 영향을 미친다는 것을 알게 되었습니다. 노력은 학생이 하는 것이지만 대입을 위한 큰 방향성, 비전제시를 학부모님들께서 해주시기 때문입니다. 하지만 현재 교육현장에서는 학생, 학교, 학원 등의 중요성은 많이 이야기되고 강조되지만 학부모님의 중요성은 잘 알지 못하고 있습니다.

이 책은 그런 의미에서 우선 학부모님들을 위한 책입니다. 대입, 그리고 준비를 위한 선택의 순간 학생들이 결정을 하기도 하지만 최종적인 선택과 결정에 학부모님들께서 중요한 역할을 하시기 때문입니다.

지도를 해보니 확신을 갖고 준비와 결정을 돕는 학부모님이 끌어주시는 학생과, 무엇인가 부족한 것이 있는데 어찌 준비해야 할지 모르는 학생들의 대입 합격률이 굉장히 큰 차이가 나는 것을 발견하게 되었습니다. 학부모님은 우리들의 생각보다 훨씬 학생들의 합격에 많은 영향을 줍니다.

두 번째, 정보의 홍수 속에서 어떤 정보가 좋은 정보인지 고민되실 겁니다. 정확하게 좋은 정보를 찾아 효율적으로 진학에 성공하는 것을 원하실 겁니다. 이 책은 그것을 위한 책입니다.

시중의 책들을 보면 합격을 이야기하며 너무 복잡한 이야기를 담고 있습니다. 사실 입시는 디테일이 중요할 뿐, 일반적인 것은 크게 중요하지 않습니다. 하지만 현재 입시계에서는 합격에 핵심이 아닌 것을 핵심인 것처럼 가르치는 곳이 많습니다. 너무 복잡하게 하니 학생이나 학부모님 모두 아예 손을 놓게 됩니다. 가장 중요한 것은 명료한 판단력을 갖춘 학부모님이 최고의 지도 컨설턴트와 손을 잡고 학생의 발전과 변화를 이끌어 내는 것입니다.

세 번째 이 책은 주된 초점이 인서울권 대학교에 맞춰져 있습니다. 서울대, 연세대, 고려대가 기준이 되어 들러리가 되지 말고 자신의 목표 범위의 학교와 그 학교의 1~3그룹 이상의 학교를 진학시키는 것이 이 책의 목표입니다. 이 책을 통해 소위 'SKY'라는 학교도 준비를 할 수 있지만 학생부 종합전형 자체를 이해하고 설명하는 데 책의 지면을 사용할 것입니다.

바로 내 손 앞에서 내 잠재력을 발휘하여 다른 이들은 '기적'이라고 말하지만 거머쥐어 충분히 합격 있는 학교에 집중하여 합격하는 것이 이 책의 취지입니다.

마지막으로 이 책은 오해받는 학생부 종합전형을 위한 책입니다. 학생부 종합전형은 일부 사회적 지도층, 사교육에 의해 '재력에 의해 키워지고 길러진 전형'이란 오명을 지니고 있습니다.

하지만 제가 경험해보니 전문가와 함께 학생들의 미래를 향해 '행복'하게 정진한다면, 기존의 국영수 중심에서 벗어나 자신의 진로역량을 토대로 얼마든지 원하는 학교에 손쉽게 합격할 수 있는 것이 바로 학생부 종합전형이라는 것을 알게 되었습니다.

기존의 국,영,수,사,과 중심의 교과학습보다 훨씬 적은 비용과 시간으로 고율의 성과를 낼 수 있습니다. 다만 낯설고 같이 준비할 마땅한 강사와 정보가 너무 없어서 학생들이 모를 뿐입니다.

학생부 종합전형은 오히려 다양한 이유로 그 간 공교육 선생님, 사교육 전문가들도 신경을 많이 안 써서 방치된 전형입니다. 그 틈에 이 제도의 장점을 누구보다 더 많이 알고 빠르게 적응한 이들이 큰 이점을 얻게 되었습니다.

제가 10여 년간 지도를 했지만 이 제도의 장점을 얻어간 이는 단지 일부 돈이 많으신 분이 아닙니다.

오히려 수능이 너무 마음에 안 들거나, 적성이 없어 포기한 경우, 내신 경쟁에 힘든 경우, 학교의 무관심으로 본인 의지와는 달리 비교과를 제대로 못 채운 경우, 어떻게 채우는 지 알지 못하는 경우 등등

우리의 교육현장에서 소외된 학생들, 학부모님들이 기존의 틀과 한계를 넘어 도전하고 저와 함께 같이 노력하여 대입에 좋은 성적을 거두고 성공한 사례가 대부분입니다.

많은 요약을 했지만 이 책의 내용을 늘리기 어려울 정도로 학생부 종합을 준비하고 합격하는 핵심은 이 책으로 충분합니다.

가장 중요한 것은 학생별 맞춤식 디테일이고 진로컨셉주제 발굴입니다. 10여 년간 교육컨설턴트로 활동하며 무수히 좋은 결과를 내었고 꾸준히 블로그에 합격 노하우에 관한 글을 적었습니다. 이번에 관련된 글을 잘 모으고 현 입시제도와 앞으로의 고교학점제 시대에 맞게 목차와 내용 등을 수정, 보완하여 책을 쓰게 되었습니다.

 간편하게 읽어보시고 학생부 종합에 대한 기본적인 이해를 높이셨으면 좋겠습니다.

 반드시 도전 하시기 바랍니다. 새로운 가능성은 열려 있습니다.

 이 책은 자기소개서와 면접이 있는 모든 전형에 적용될 수 있기에 그 외에도 군계약학과, 재직자 전형, 반도체 등 계약학과, 사관학교 등 자기소개서와 면접이 입학에 적용되는 학교나 학생부 교과전형 면접에 지원하시는 분께도 좋은 영감을 드릴 수 있다고 생각합니다.

1. 학생부 종합전형의 절대적 유리함과 전망

1. 학생부 종합전형의 절대적 유리함과 전망

- 간단한 현행입시제도
- 학생부 교과전형의 유리함과 불리함
- 논술전형의 유리함과 불리함
- 수시와 정시 지원전략
- 학생부 교과와 학생부 종합의 차이
- 학생부 종합전형 전망과 준비의 필요성
- 수시 학생부 종합전형이 대입에 절대적으로 유리한 이유

간단한 현행입시제도

현행 입시는 크게 수시와 정시로 구분됩니다. 수시는 학생부 교과, 학생부 종합, 논술로 크게 나뉩니다. 정시는 수능으로 선발됩니다.

기회는 수시전형이 6회 주어지고 정시가 3회 주어집니다. 수시는 정시보다 먼저 진행되며 수시에서 합격할 경우 정시에서 기회

가 없어집니다. 그래서 수시와 정시지원은 평소 모의고사 점수, 흐름과 학교생활기록부 내신 교과성적, 비교과 등을 잘 계산해서 지원해야 합니다. 각각을 자세히 풀어쓰면 다음과 같습니다.

(1) 수시

1) 학생부 교과

학생부 교과는 내신성적을 바탕으로 선발합니다. 반영과목들과 가중치는 학교들마다 매년 입시요강에 따라서 다르긴 하지만 대체적으로 문과계열은 국어, 영어, 수학, 사회 과목을, 이과계열은 국어, 영어, 수학, 과학 과목을 정량적으로 반영합니다.

주로 1학년, 2학년, 3학년 1학기까지의 내신성적 등급이 반영됩니다.

2) 학생부 종합

학생부 종합은 내신성적과 비교과 (주로 창의적 체험활동, 세부능력 특기사항) 등이 반영됩니다. 유의할 점은 평가에 있어서 '반영 교과와 가중치 등이 일정하지 않고 학교, 입학사정관이 해당 학과의 입학에 필요하다고 생각하는 과목과 항목을 정성적인 기준에 따라서 평가한다' 는 것입니다.

3) 논술

논술전형은 논술을 통해서 학생을 선발하는 전형입니다. 문과계열은 문학, 비문학 지문을 통해 평가하고 이과계열은 수리논술을 주로 봅니다. 일회적 평가이기에 종합적 사고력, 기본 학력에 대한 의문을 해소하고자 학과에 필요한 역량지표이니 수능 과목별로 묶어 합격을 위한 수능 최저치를 대학에서 설정하는 경우가 많습니다.

(2) 정시

정시전형은 수능을 보고 수능 등급을 통해서 지원하고 합격을 결정하는 전형입니다. 종합적 사고력 등을 평가합니다.

- 합격사례 : 입시제도 이해의 중요성

우리 학생은 고2 2학기쯤 제게 상담왔습니다. 분석을 하니 내신은 4등급 중반이었고, 일반적으로 '인서울이 정말 어렵다'고 판단되어 주변에서도 정시 수능과 논술을 추천받던 상황이었습니다.

하지만 정시는 모의고사 포함하여 절대 인서울 점수가 나오지 않았고 글, 수학 실력이 좋지 않아서 경쟁률이 높은 논술도 현실적으로 어렵던 상황이었습니다. 저는 이 상황에서 과감히 국어, 영어, 수학에 시간 배분을 줄이고 진로 관련 학원에 다니라고 추천했습니다. 진로 역량을 실질화하여 나중에 만들 학교생활기록부에 날개를 달고 어필할 전략을 세운 것이죠.

학생, 학부모님께서는 저를 믿어주시고 한달 반 동안 주변 학원가에서 진로 학습을 했고 학교생활기록부로 정리하여 결국 숭실대를 포함하여 4군데 학교에 학생부 종합으로 합격하게 되었습니다.

학생부 교과전형의 유리함과 불리함

학생부 교과는 정량평가입니다. 정량평가라는 의미는 각 등급별 규정인원을 통해서 등급을 환산하고 그것을 대학에서 평가하여 기계적으로 반영한다는 의미입니다. 대학에 따라 내신교과 뿐만 아니라 수능 최저치를 요구하는 경우도 있습니다.

(1) 지역별 격차 교정

학생부 교과는 자체로 교정적인 효과를 지니고 있습니다. 예를 들어 기존 10등급제의 1등급은 과목별 4%의 학생을 대상으로 부여됩니다. 이때 가령 1등급이란 4% 안에 들면 그것이 시골에 있는 고등학교든, 유명학군지 학교든, 일반고든, 자사고든 가리지 않고 '해당 %당 등급을 일정하게 준다'는 의미입니다. 그러므로 지역별, 학교별 상대 격차가 자동으로 보정된 효과가 생기게 됩니다.

(2) 과목별 평가

과목별로 평가하는 것입니다. 가령 만일 전체성적의 평균으로 1등급을 준다면 100명 있는 학교는 4명이 1등급을 받을 겁니다. 하지만 과목별 석차에 따라 부여되므로 각 과목별로 모두 다 4% 안에 들어야 평균 '1등급'이 되는 것입니다. 그렇기 때문에 생각보다 훨씬 경쟁이 치열하며 평균 등급을 높이기 위해서는 각 과목별로 모두 다 좋은 성적을 거둬 다른 학생들을 압도해야 합니다.

(3) 전형 목적

학생부 교과전형은 국어, 영어, 수학, 사회, 과학 등의 기본교과 목을 충실히 공부한 학생들의 성실성을 고려, 그러한 인재를 선발하는 전형입니다.

통제 변수로 지역적인 영향을 최소화하여 도농간, 일반고와 자사고 간 학력 차이를 상대적인 평가로 없앤 전형입니다. 그렇기 때문에 이 전형 자체가 사실상 '교육 소외지역이나 학습 여건은 안되지만 잠재력이 높은 학생들을 위해 만들어졌다.' 해도 과언이 아닙니다.

게다가 이 전형은 주요 내신 과목을 대상으로 하기 때문에 학교 정상화에도 기여하는 긍정적인 면을 지니고 있습니다.

(4) 유리한 점과 불리한 점

뒷 부분에 좀 더 자세히 다루려 합니다. 하지만 대부분의 수도권 고등학교나 학군지, 자사고의 경우 불리한 경우가 대부분입니다. 편차상으로 수도권일반고, 학군지, 자사고는 비수도권, 일반고에 비해 학생들 간의 경쟁이 심하기에 정작 상위 등급 대의 학생들은 몇 명되지 않고 내신 관리가 어렵기 때문입니다.

교과 내신만 뒷받침 된다면 그 간 학교생활기록부의 비교과 내용에 상관없이 대학, 학과를 선택하여 갈 수 있습니다. 하지만 이러한 점은 역설적으로 단점이 될 수 있습니다.

앞으로의 학제의 큰 변화인 고교학점제하에서는 선택과목의 비중이 높아지기 때문에 학생부 교과전형 자체가 이런 흐름과 결이 잘 맞지 않기 때문입니다.

논술전형의 유리함과 불리함

(1) 인서울의 최후의 방법

논술전형은 학생부 교과내신을 보지 않고 논술을 평가하되, 수능 최저를 통해 보완하여 선발하는 전형입니다. 그렇기 때문에 학생부 교과내신이 안 좋은 학생들이 최후의 수단으로 노릴 수 있는 전형입니다.

(2) 재수생, 삼수생, N수생이 많이 도전하는 전형

재수생과 삼수생의 학습 밸런스 유지에 유리합니다. 사실 학생부 교과와 종합의 주요 판단기준이 되는 학교생활기록부가 이미 고정되었기 때문에 개선의 여지가 없으나 논술은 공부한 만큼 개선의 여지가 있기 때문이다.

수능을 공부하면서 짜투리 시간 논술을 함께 준비하거나 아예 별도의 전략으로 원하는 학교만 선택해서 논술을 준비할 수 있습니다.

(3) 높은 경쟁률

다만 논술전형은 보는 학교도 제한되어 있고 경쟁률도 높습니다. 물론 경쟁률은 수능 최저를 고려하면 상당수 허수가 들어가 있시만 그것을 감안하더라도 높은 경쟁률 부담이 있습니다.

(4) 학교들, 계열마다 다른 평가방식

논술은 학교들마다 출제유형이 있어서 출제유형에 따른 방식대로 학원수강 등을 통해 공부해야 합니다. 게다가 계열별로 문과, 사회계열은 지문분석능력, 이과계열은 수학실력이 중요하여, 관련 역량이 부족할 경우 지원의 메리트가 적고 합격가능성이 떨어집니다.

- 합격 체크 : 수시와 정시 유형의 특징

　정시 수능은 머리 회전이 좋고 패턴별로 개념이해, 문제파악, 적용, 응용까지 완결성 있게 준비한 학생, 수시 학생부 교과는 수업 등 학교 공부를 열심히 한 학생, 수시 학생부 종합은 학교공부를 열심히 하되, 일정부분 진로탐색과 연구 및 학습을 신경 쓴 학생, 수시 논술은 분석력을 토대로 논리, 수학적 사고 구조틀에 익숙한 학생에게 적합한 전형입니다.

　필요한 인재상을 반영한 길이며, 이렇게 다양한 적성과 능력을 갖춘 학생들이 대학에 진학하는게 현 대입입시제도의 요체입니다. 이 중에서 좋은 조력과 방향제시만 가능하다면 학생부 종합전형은 학생의 노력 그 자체만으로 최선의 결과를 내기 가장 좋은 전형입니다. 준비만 잘 한다면 가장 비용과 시간, 노력이 적게 들고 가장 효율적으로 최상의 성과를 얻을 수 있는 전형입니다.

　실제 정시를 포함한 다른 전형에 약한 학생들은 이런 이유로 고교 2학년 후반부터 학교 내신만 학생부 종합기준에 맞추고 거의 학생부 종합 비교과에 몰입하였고 결과적으로 대성공이었습니다.

수시와 정시 지원전략

수시전형은 수능과 보완관계에 있습니다. 수시 전형에는 학생부 교과, 학생부 종합, 논술전형이 속합니다. 6번의 기회가 주어지며 수시의 우선 합격자 선발 규정으로 인하여 공격적으로 소신 지원할 기회가 생깁니다.

학생부 내신을 잘 살피고 수능모의고사의 점수대를 확인해서 수시 합격전략을 짤 수 있습니다. 학생부 교과전형을 안정지원으로 학생부 종합전형을 소신지원으로 활용하면 정시 이전에 원하는 학교에 합격할 수 있기 때문입니다.

물론 수시, 정시 어느 한가지에 치중하는 것은 안 좋은 방법이며 권장되지 않습니다. 2가지 전형이 각각 별개로 6번과 3번의 기회가 주어지기 때문입니다. 하지만 만일 수시와 수능의 격차가 너무 크거나 상대적으로 내신점수가 원하는 대학의 교과나 종합 내신 컷 안에 있을 경우 수시를 준비하고 더욱 집중하시는 것을 추천합니다.

- 합격사례 : 수시 집중의 필요성

우리 학생은 열심히 한다고 했지만 수능모의고사 점수가 잘 나오지 않았습니다. 내신이 1등급 후반~ 2등급 초반인데 비해 수능모의고사 7, 8등급 수준이었고 그래서 고등학교 2학년부터 점점 수시 학생부 종합에 더 많은 비중을 두도록 전략을 수정했습니다. 수시 학생부 종합 전형에서는 수능 최저기준이 없는 인서울권 학교가 굉장히 많기 때문입니다. 제가 수시 학생부 종합 전문가이기는 하지만 수시와 정시, 어느 것 하나를 버리거나 편중하라고 하지는 않습니다. 수시와 정시 이중구조에서 다양한 여지를 남겨둬야 선택가능성이 높기 때문입니다.

하지만 되지도 않을 것에 시간을 투자하는 것은 문제가 있습니다. 특히 정시대비로 이어지는 커리큘럼이 수익구조인 학원, 과외 전략에 휘말리지 말아야 합니다.

수능 대비, 정시 공부를 해도 해도 안나오면 차라리 의미없는 곳에 비용, 시간을 들일 것이 아니라 학교 내신에 신경쓰면서 과감히 이쪽에 더 비중이 높여주는 결단도 필요합니다. 정시가 없더라도 수시 6번의 기회로 대입을 결정지을 수 있으며 최적의 지원과 합격전략을 짤 수 있습니다.

학생부 교과와 학생부 종합의 차이

학생부 교과전형과 종합전형의 핵심적인 차이와 특성은 무엇이 있을지 비교해서 알아보겠습니다.

(1) 합격선의 안정성

학생부 교과전형은 비교적 안정적입니다. 정량평가에 기반하므로 예년 수준이나 추세 속에서 대부분 결정되기 때문입니다. 그에 비해서 학생부 종합전형은 변동성이 있는 편입니다.

선발과정에서 주관성이 더 많이 개입되는 학생부 종합전형의 특성상 내신성적이 좋더라도 합격여부를 일률적으로 판단하기 어렵습니다.

(2) 내신 반영상의 차이

학생부 교과전형은 종합전형에 비해 내신 기준이 높습니다. 학생부 교과전형은 비교과 요소를 고려하지 않고 교과 내신성적으로 선발하기 때문에, 정성평가에 내신과 비교과를 반영하는 학생부 종합전형에 비해서 점수가 높고 지원자, 합격자 간의 격차인 표준편차 역시 작습니다.

(3) 수능 반영의 차이

학생부 교과전형은 대부분 수능 최저치를 반영하지만 학생부 종합전형은 대부분 수능 최저치를 반영하지 않습니다. 학생부 교과전형은 학교, 지역간 성적 편차를 고려하지 않기 때문에, 수능 최저 조건으로 학교, 학과 진학에 필요한 최소학력 수준을 확인합니다.

(4) 면접 유무

학생부 교과전형은 면접이 없는 경우가 많지만 학생부 종합전형은 면접이 있는 경우가 많습니다. 하지만 전형 방식은 학교마다 다르기에 지원 시 입시요강 등을 확인해 보셔야 합니다. 학생부 교과전형은 전공관심유무와 관련없이 내신으로 선발되므로, 전공과 관련된 최소 관심정도를 확인하기 위해 학생부 교과전형에도 교과면접이 들어가 있는 학교들도 있기 때문입니다.

(5) 학생부 교과와 종합 전형의 지원전략

학생부 교과전형은 합격자간 점수분포, 합격점수 추이상 안정적이므로 안정, 하향지원으로, 학생부 종합전형은 소신지원으로 많이 활용합니다.

학생부 종합전형 전망과 준비의 필요성

종종 많이 검색되는 키워드나 진로 고민 등을 보려고 자주 커뮤니티를 살피는데요. 일부 교육 카페 커뮤니티의 이런 글을 볼 때, 깜짝 놀랍니다.

Q : 다들 수시 학생부 종합 대비를 어떻게 하시나요? 비용과 시간을 들여서 할 필요 있는지요?

"앞으로 제도가 바뀌어서 생기부 항목도 줄어들고 큰 대비가 필요가 없습니다."

"오히려 준비를 안 한 학생은 붙은 것을 봤고 준비를 많이 한 지인은 떨어지더라고요. 그러니 대비할 필요 없습니다."

이 글의 목적이기도 하지만 이런 조언은 믿으시면 정말 큰 낭패를 볼 수 있는 조언입니다.

(1) 과연 평가가 안 이뤄질까?

예전 수능 개선안, 수시 개선안이 있을 때마다 '사교육을 안 받아도 대학을 잘 들어갈 수 있다'고 했습니다. 하지만 이것은 인간의 본질적인 욕구, 현실을 미반영하는 것이라 실현되지 않았습니다. 사교육비는 올라가고 있고 오히려 의대와 같은 안정적인 전문 직종이 더 각광을 받고 있죠.

과거처럼 분명하지는 않지만 소위 일류대는 존재하고 있고 결국 수능이든 수시든 성적, 비교과 실력에 따라 대학, 학과에 들어갑니다.

인간 세상에서 상대적으로 좋은 학교와 직업이 존재한다면 당연히 경쟁과 평가는 필연입니다. 우리를 살아 숨 쉬게 해주는 '공기'처럼 눈에 잘 안 보인다고 해서 존재하지 않거나 없는 것은 결코 아닙니다. 오히려 눈에 잘 안 보일수록, 잘 볼 수 있는 사람이나 도구가 필요한 것이겠죠.

(2) 잘 보이지 않아 준비하기 어려운 순간이 누군가에겐 '기회'입니다.

제가 평소 많이 하는 말입니다. 우리 학생들이 대입에서 자신을 드러 낼 수단이 점점 사라지고 있습니다. 2024학년도 대입 수시 학생부 종합전형부터 자기소개서가 빠지고 학교생활기록부와 면접 등을 통해 진학을 했습니다.

　학교생활기록부 항목별 글자 수, 수상기록, 자율동아리활동, 독서, 봉사 등 자신을 어필할 것도 제한되거나 사라져 무엇을 준비해야 할 지 모르는 상황이 된 것입니다. 이런 상황은 비단 학생들뿐만 아니라 비교과 과정을 적어주셔야 하는 학교 선생님들, 좋은 인재를 선발해야 하는 대학당국 관계자께도 어려운 상황입니다. 하지만 앞서 말씀드린 것처럼 결국 상대적인 평가와 선발은 이뤄져야 하기에 이런 조건들 속에서도 대비가 된, 보다 우위의 경쟁력을 지닌 학생들이 뽑히기 마련입니다.

　즉, 이렇게 보이지 않는 순간이야말로 '야간 투시경이 있는' 제대로 준비한 학생들에게는 오히려 기회의 시기가 될 수 있습니다. 앞서 말한 것과 같이 '준비가 필요없다'는 식의 일부 교육관계자와 학부모님들의 조언은 잘못된 것입니다.

　오히려 준비가 필요합니다. 만일 앞을 보지 못하는 시대, 다른 친구들과 별개의 '준비'를 할 수 있다면 대학은 더 가기 쉬워진 것이죠. 수시로 들어가는 인원과 비율은 그대로인데 제대로 대비할 사람이 없으니까요. 그만큼 경쟁력이 생기는 것입니다.

수시 학생부 종합전형이
대입에 절대적으로 유리한 이유

학생부 종합이 학생들에게 유리한 이유가 굉장히 많습니다.

(1) 학생부 교과의 높은 정량평가기준

주요 인서울 대학교는 학생부 교과의 정량기준이 굉장히 높습니다. 압도적으로 전과목을 잘 할 경우 학생부 교과도 경쟁력이 있겠지만 수도권이나 학군지 학교의 경우 경쟁이 심해 교과목별로 등급이 나눠져 객관적인 실력보다도 종합 등급이 좋지 않은 경우가 굉장히 많습니다.

그래서 소위 원하는 학교를 '학생부 종합'으로는 갈 수 있는데, '학생부 교과'로는 가기 어려운 상황이 만들어집니다.

그래서 내신 분포상에서 학생부 교과로 안정지원을 학생부 종합으로 소신지원하게 되는데요. 입시는 능력에 따라 최대한의 학교를 가고자 하는 것이므로 결국 학생부 종합이 중요합니다.

(2) 고교학점제 적용 및 흐름 : 학생부 종합에 유리

앞으로 선택과목의 수가 많아지고 점차로 주요 과목에 대한 정량 기준이 작아집니다. 거기다가 2028학년도 대입에서의 고교학점제의 도입으로 인해 그 때까지 5등급제에서 학생부 교과전형으로는 변별력을 갖기 어려운 사항을 확인될 것입니다. 직접 영향을 받지 않는 2025학년도 현재 기준 고1, 고2, 고3 학생들 또한 이런 흐름에 직간접적인 영향을 받을 것입니다.

그 결과 점차 대학들은 학생부 교과보다는 학생부 종합을 통해, 진로 부분의 성과를 통해 변별력을 확인하고 갖추는 시도를 진행할 것입니다.

(3) 준비할 경우, 학생부 종합 굉장히 유리

실제 학생부 종합전형을 학생들과 함께 준비하고 지도하다보면 현재 학교, 학원 중심의 교육 현장에서는 수시 학생부 종합전형을 준비할 자원이 굉장히 부족하다는 것을 알 수 있습니다.

아직 정시 수능 위주의 교과목, 학교내신 교과목으로 인해 학교와 학원의 학습 커리큘럼과 모든 틀이 교과 중심으로 배열되어 그 틀을 벗어나기 힘듭니다.

반면 학생부 종합의 비교과와 관련된 부분은 학생들의 다양한 전공, 진로 방향과 관련되어 있기에 그 수요를 충족하지 못하여 이 부분은 학생들에게 오롯이 맡겨져 있는 상태입니다.

제대로 하려면 학원, 학교에서 커리큘럼이 마련되어야 하는데 경제학에서 흡사 시장실패의 영역처럼 학생 각자의 진로로드맵이 달라 준비가 어렵습니다.

이렇게 학교, 학원에서 도움을 받기 어렵기에, 전문적인 도움과 지도를 받는 학생들이 굉장히 유리할 수 밖에 없으며 이는 매년 입시 실적으로 확인되고 있습니다. 실제 중장기적으로 지도를 꾸준히 받을 경우 굉장히 큰 효과와 결과를 얻는 것을 확인할 수 있습니다.

(4) 사실상 높은 안정성

학생부 종합전형이 '도깨비 전형'이라 불릴 정도로 주관성이 강하여 노력과 시간 투자가 불안하다고 생각하십니다. 하지만 그렇지 않습니다.

전문가들이 보는 상, 중, 하 학교생활기록부의 질적 차이는 눈에 확연히 보이므로 잘 써진 학교생활기록부에, 면접까지 잘 준비하면 대입에서 절대적으로 합격 확률이 굉장히 높은 전형입니다. 실제 안정지원과 소신지원 포함하여 3~5곳 동시 합격사례도 굉장히 많습니다. 물론 노력은 필요하지만 꾸준히 준비하고 지도받은 학생들에게는 굉장히 안정성 높고 쉬운 전형입니다.

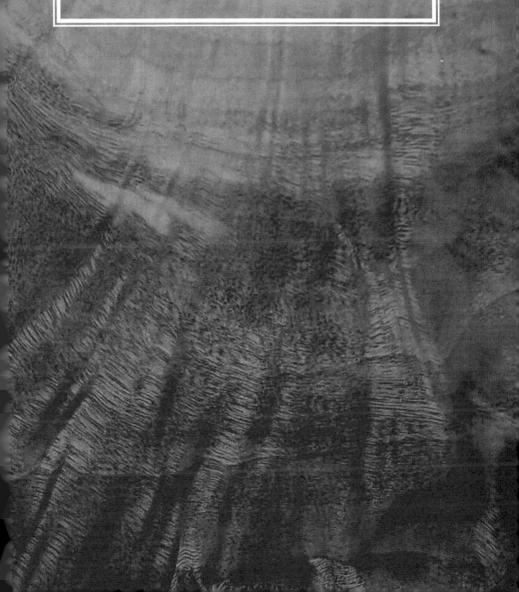

2. 진로 컨셉과
학교생활기록부 작성노하우

2. 진로 컨셉과 학교생활기록부 작성노하우

- 중,고교 진로지도의 차이
- 진로로드맵이란 무엇인가?
- 진로지도요령(문과계열)
- 진로지도요령(이과계열)
- 진로이해의 필요성
- 독서활동의 중요성과 과정
- 학교생활기록부 작성 핵심 노하우

진로 컨셉의 중요성에 관한 이 장은 진로 목표, 계획을 세워야 하는 고1, 고2 학생들이 많이 참고하면 좋습니다. 하지만 만일 고1, 고2 때 불확실하고 고3 때 시급하게 진로목표를 세워야 하는 학생들은 이 부분을 읽되, 좀 더 서둘러서 빠르게 정리해야 합니다.

중, 고교 진로 지도의 차이

중학교 때에 진로를 정할 경우, 학부모님의 지원과 보조를 통해서 진로컨셉이 확인되는 경우가 많습니다. 즉, 이 때는 자녀와의 대화를 통해서 학생의 직관적인 선호, 성향을 파악하고 원하는 학교의 수준과 학력을 판단을 말해주는 것이 요청됩니다.

하지만 고교 때는 대부분의 학생들이 스스로 진로를 정한 경우가 많습니다. 이 때는 진로 컨셉을 정한 학생이 어떻게 '진로를 구체화하고 노력을 기울일지' 조언해 주는 것이 중요합니다.

이 때 고등학생 자녀들의 경우, 단순 직업명, 하고 싶은 것, 추상적인 방향 설정에 그치지 말아야 합니다. 해당 직업을 어떻게 수행할 것인지, 관심분야는 무엇인지, 어떻게 준비하고 도달할 것인지를 더 세부적으로 파고들어 구체화해야 합니다.

진로지도는 '어떤 진로, 삶을 살아갈 것인지' 묻는 과정이 되어야 합니다. 이후 학생과 함께, 혹은 학생이 정한 진로에 따라 세부적인 project를 하나하나 해가며 준비해야 합니다.

진로 로드맵이란 무엇인가?

진로 로드맵은 어떤 식으로 진로목표를 구체화할지 생각하고 구상하는 과정입니다. 진로목표가 세워진다고 해도 어떤 주제를 공부할지, 어떤 식으로 발전할지 구체적으로 정하지 않는다면 공허한 이야기가 될 것입니다.

가령 '나는 생명공학자가 되겠습니다.'라고 진로목표를 세울 수 있지만 '생명공학자가 단지 되겠다.'고 이야기만 하는 것은 비현실적이고 신뢰성이 없습니다. 중요한 것은 그 실질적인 과정이나 계획을 보이는 것입니다.

생명공학자가 왜 되고 싶은지, 누굴 위해서 되려 하는지, 어떤 역량을 기르고 어떤 식으로 준비할 것인지를 생각해야 합니다. 그래야 학교생활기록부와 면접 과정에서도 잘 표현될 수 있고 실제 읽는 이들이 믿음이 갈 것입니다.

진로 로드맵을 세우기 위한 구체적인 단계는 아래와 같습니다.

(1) 진로 목표 설계

진로 목표를 일단 정해야 하는데, 추상적이어도 됩니다. 하나의 기준이며 '시작했다는 것', '정했다는 것' 그 자체가 중요합니다. 반드시 직업으로 제한될 필요는 없습니다. 가령 '환경전문가가 되고 싶다.'라고 할 때 환경전문가는 진로 목표가 될 수 있습니다. 자신이 좋아하는 것, 과목, 분야, 책, 사람, 동아리, 활동 등등 다양한 소재로부터 시작할 수 있습니다.

(2) 진로 로드맵 : 컨셉주제

앞서 정한 진로목표에서 '그것을 위해서 어떤 것을 준비하겠다.'라는 식으로 발전할 것을 생각해야 합니다. 가령 환경전문가가 되기 위해서 무엇을 준비해야 할까? 어떤 공부를 하고 싶나? 어떤 공부를 지금 할 수 있나? 다양하게 이야기할 수 있습니다.

환경전문가가 그냥 되는 것이 아니라 가령 '현재 중국의 미세먼

지 문제가 국제화 되어가는 양상', '지구온난화', '기후변화 위기' 등등 다양한 소재와 주제로 발전할 수 있는 것이죠. 사실 이 과정이 관련 과정의 핵심이며 학교생활기록부 작성 준비의 기본이 되는 활동이 될 수 있습니다.

(3) 진로 로드맵 : 진학 및 경력 발전계획

실제 진학과 경력 발전을 연결시켜야 합니다. 관련된 공부를 대학에서 하기 위해서 난 어떻게 준비해야 하는지, 환경전문가가 되기 위해 환경학과를 갈지, 환경을 공부하고 나중에 환경 NGO에 가서 전문성을 쌓을지 등등 구상하는 방향이 다를 것입니다.

이 과정에 반드시 고교 때의 학습경험, 비교과 활동이 들어가 있어야 합니다. 그래야 관련된 진로탐색 과정으로의 학교생활이 의미있게 설명이 되는 것입니다. 이는 결국 대학교 생활에서의 성공 역시 가늠하게 만들기 때문에 지원과 합격의 핵심이 됩니다.

이런 방식으로 진로로드맵 과정은 학교생활기록부에 영향을 주고 면접과 함께 대입 합격을 좌우합니다.

진로지도요령 (문과계열)

(1) 진로 구분의 중요성

우리 학생들이 현재 문이과 구분이 없지만 진로로드맵을 만드는 과정에서는 문과와 이과 구분이 필요합니다. 비록 공통과목을 배우더라도 이러한 문, 이과나 학과별 특성은 진로선택과목 선정과 공통과목을 포함한 비교과활동 기재에 반영되기 때문입니다.

오히려 공통과정을 강조하다가는 변별력이 없는 생활기록부가 나올 수 있습니다. 뒤에 다시 말씀드리겠지만 이과 계열의 경우, '산출물'이 중요하며 문과 계열에서는 개념의 정확한 이해와 연결, 이론과 현실에서의 적용이 중요합니다. '이것이 얼마나 잘 드러났는지'가 학교생활기록부 작성기재의 성패를 좌우합니다.

(2) 문과 진로에 대한 확신

본인의 적성과 성적 등 다양한 요소를 통해서 문과 진로를 확인해야 합니다. 단지 '수학을 못하기 때문에 문과를 선택한다.' 라는 식으로 수동적, 피동적으로 생각하고 결정해서는 안됩니다.

이 때 돈이나 명예도 중요하지만 가장 중요한 것은 '그것이 어떤 사회적 가치를 지니는가' 하는 것입니다. 내가 사회 속에서 나의 자아를 실현하면서 어떤 식으로 기여하고 싶은지가 결정의 기준이 되어야 합니다.

(3) 문과진로에 대한 이해

학생들은 어떤 진로가 있는지 사실 모릅니다. 현행 교과담임제 역시 방해요소이며 각 학교별로 진로 진학담당선생님들께서 계시지만 학생 개개인에 맞는 진로를 찾아주고 그에 따른 진로로드맵을 마련하고 관리하기는 어렵기 때문입니다.

문과계열만 해도 국제, 경제, 역사, 사회, 미디어, 어문 등 폭넓은 계열이 있습니다. 일단 각 분야에서 무엇을 배우면서 어떤 직업, 진로를 갖는지 확인해야 합니다. 이후 여기에 다양한 진로 구체화 작업을 거쳐 보다 구체적으로 심화, 발전해야 합니다.

특히 만일 고교 1학년때 너무 포괄적으로 썼다면 점차로 구체적으로 쓰려고 노력해야 합니다. 이런 고민들이 들어가야 합니다.

진로지도요령 (이과계열)

(1) 진로 구분의 중요성

진로에 대해서 학교현장, 학부모님, 학생들 모두 익숙하지 않은 실정입니다. 특히 최근 공통과정의 강조로 '문과와 이과 등의 구분이 의미없다'고 생각하는 오해까지 있는데, 오히려 진로로드맵을 잘 짜기 위해서 제대로 구분하는 것이 필요합니다.

문과와 이과를 제대로 구분하면 이과 계열의 핵심은 결국 '산출물'을 제대로 내는 것임을 알게 됩니다. 이 '산출물'이란 '이론을 통해 실험과 관찰을 한 결과물, 혹은 그런 일련의 과정을 거쳐서 현실을 해석한 결과' 정도로 정의할 수 있겠습니다.

즉, 본인의 진로와 연관된 실험과 현실, 산출물을 물리, 화학, 지구과학, 생명과학, 수학 등 교과목의 원리와 과정으로 규명해내야 합니다. 모든 교과 해석의 토대가 되기에 진로 이해와 구분이 중요합니다.

(2) 이과 진로에 대한 확신

　본인의 적성과 성적 등으로 통해 이과진로에 맞는지 확인해야
합니다. 가령 난 수학을 잘하기 때문에 이과, 수학을 살 못하고 국
어 영어를 잘하니 문과라는 단순한 도식을 넘어야 합니다. 지금 비
록 수학이나 과학과목을 잘 못해도 무조건 포기할 필요는 없습니
다. 단지 본인이 과연 장래 무엇을 할지, 수학과 과학과목을 못하
면 추후 진로 활동에 지장이 생길 수 있는데, 못한다면 어디쯤까지
커버하고 개선시켜 나갈 수 있을지 구체적으로 생각하고 진로를
세워야 합니다.

　진학지도를 하다보면 문과에 대한 비전이나 희망도 없고 장래희
망이 오히려 이과계열인데 단지 수학을 잘 못해서 문과로 정하려
한다는 말을 들을 때가 많습니다. 이 때 지레 포기하지 말고 구체
적으로 커버할 부분을 생각하여 과감히 진로 중심으로 목표를 세
우고 움직여야 합니다.

(3) 이과 진로에 대한 이해
　학생들이 진로에 관해 혼자 이해하거나 준비하는 것은 굉장히

어려운 일입니다. 굉장히 많은 진로가 있고 각각의 특성과 필요 역량이 무엇인지 말해줄 이도 없기 때문입니다. 이과 계열의 진로를 확정시키기 위해, 수많은 이과계열의 진로를 알아보고 자신이 원하는 것이 정확히 어떤 것인지 확인하고 확정해야 합니다.

이를 위해서 적성과 흥미, 관심 외에도 지금까지의 활동, 노력을 때론 잘라 없애기도 하고 혹은 심화하고 발전시키는 등 정리해야 합니다. 이런 선택과 집중과정을 통해서 진로 목표를 명료히 하되 다만 추후 진로시점에서의 상황에 맞춰 다양한 가능성을 열고 끊임없이 고민해야 합니다.

(4) 이과진로의 변화, 발전가능성 고려

가령, 의대를 목표로 학교생활기록부를 작성했을 때 만일 고3 시기 성적이 떨어져서 내신 컷을 맞추기 어려울 때도 학교생활기록부 안에 인접 다른 학과, 진로를 지원할 수 있는 다른 가능성, 옵션들이 있어야 한다는 것입니다.

즉, 최대한 목표는 명확하되, 변화, 발전가능성은 열어두는 통합적인 로드맵 진행, 설계가 중요합니다.

진로이해의 필요성

고입을 앞둔 중3, 바로 필요한 고1, 고2 학생, 학부모님들께서 '왜 진로목표를 정해야 하고 어떤 점을 고려해서 진로확인을 해야 하는지' 많이들 궁금해 하십니다.

Q1 : 우리 아이가 열심히는 하는데 무엇을 하고 싶어하는지 몰라요.

Q2 : 우리 아이가 열심히 하지도 않고 무엇이 되고 싶은지 아무 생각이 없어요.

Q3 : 앞으로 고등학교에 가서 어떻게 진로 준비를 해야 하는지 모르겠어요.

등등 다양한 질문을 해주시는데요. 왜 진로를 정하는 것이 중요한지 좀 더 구체적으로 이유에 대해서 말씀 드리겠습니다.

(1) 진로 이해와 확정의 중요성 : 학교생활기록부 작성의 기준

진로에 대한 이해와 확정은 중요합니다. 하지만 우리 학생들은 대부분 무슨 진로가 있는지, 내 진로 적성이 무엇인지, 이 진로를 찾아 노력하면 어떤 직업인이 될 수 있을 지 잘 모릅니다.

그것은 학교, 학원의 문제이기도 하고 제도적 문제이기도 합니다. 학교, 학원은 교과, 단원을 공부하는 곳이지 진로를 확인하거나 공부하는 곳이 아니기 때문입니다.

또 확정의 시기가 굉장히 중요합니다. 진로 이해와 확정으로 그것을 기준으로 학교생활기록부가 쓰여 지는데, 진로 확정이 잘 되지 않아 학교생활기록부가 선명하지 않기 때문입니다.

결국 우리 아이들, 학생들은 '본인이 진정 하고 싶은 일이 무엇인지', '어떤 진로로드맵과 직업이 있는지', '무엇을 어찌 준비해야 하는지' 도 모르고 시간만 보내다 고3이 되어 버립니다

학부모님은 학생의 진로를 확정하는 문제를 '대입에서 가장 중요한 과정'으로 보고 학생이 스스로 혹은 전문가와 함께 정하는 것까지 보셔야 합니다.

(2) 진로에 대한 정보, 분석부족 : 진로에 대한 탐색

실제 상담을 해보면 학생들은 본인의 적성과 역량이 문과인지 이과인지 잘 모릅니다. 단순히 수학이 어려워서 문과를 선택을 하거나 일시적으로 책이나 드라마를 인상 깊게 보고 본인의 진로를

정하는 경우도 많습니다.

제대로 마주한 적이 없기 때문입니다. 철저하게 적성이나 원하는 것을 따로 노력하여 확인해야 하고, 앞으로의 미래전망과 역량, 본인과 학부모님의 의사 등을 다각적으로 확인해서 결정해야 합니다.

또 흥미가 있더라도 구체화된 탐색으로 구체화해야 합니다. 수학과 과학에 흥미가 있고 관련된 분야의 직업을 갖고 싶다고 해도 세부적으로 무슨. 전공과 직업이 있는지에 대해서 잘 모릅니다. 이에 더해 더 탐구하여 세부적인 진로도 정하려 노력해야 합니다. 이것을 조금이라도 일찍 제대로 확인해두지 않으면 고2 후반부나 고3 여름방학 때도 계속 모르고 또 고민하게 됩니다.

(3) 부족한 학교 내 진로확인 프로그램

학교는 원래 진로에 관한 교육을 하는 기관이 아닙니다. 우리나라의 중고등 학제는 철저히 교과중심으로 운영되고 있습니다. 즉 국어, 영어, 수학, 사회, 과학 및 기타 여러 과목별로 전공선생님들이 지도하고 있으며 따로 특별하게 진로에 관련하여 전반적인 로드맵을 세워줄 선생님도 관련 커리큘럼도 없습니다. 선생님들 개인의 문제는 아닙니다. 구조적인 문제입니다. 실제 고교 교과과정과 대학 교과, 전공과정이 차이가 있기에 한계가 있을 수 밖에 없고 또 임용선발, 교원평가가 과목 중심이기에 필연적으로 발생하는 문제입니다.

(4) 심층 면담, 상담의 필요성

그러므로 학생의 적성, 역량, 진로직업 전망이나 학생, 학부모님의 의사등을 확인하여 통합적인 진로로드맵을 작성해야 합니다. 이는 학교생활기록부 관리를 통해 학생부 수시를 대비할 수도 있지만 초기에 잘 정해놓으면 이것이 곧 진로동기가 되어 흔들림없이 공부할 수 있게 동기를 부여하는 역할도 할 수 있습니다.

그래서 이 글을 보시는 바로 지금 구체적인 평가분석과 심층면담,상담을 통해 자녀에게 적합한 진로를 확인, 확정하셔야 합니다. 초반에 말씀드렸던 것처럼 진학준비는 단순히 아는 것에 그치지 않고 실제 실천하여 학부모님, 학생이 해결하고 힘이 부족하면 전문가가 함께 노력해서 일궈 가야 하는 것입니다.

- 합격팁 : 군, 경찰 등 특수 직업이나 공무원계열

우리 학생들 중 군이나 경찰, 행정 관련학과에 지원한 학생들이 있습니다.

일단 군정보 관련학과는 최근에는 정보 시스템 관련해서 해군, 공군과 관련된 학과가 많습니다. 안정적인 직업, 효율적인 경력관리, AI 등 정보관련 전문역량, 기타 장학금 혜택 등 정말 많은 장점들이 있습니다. 군 관련학과는 학과의 특성과 군인의 특성을 결합시킨 형태로 준비해야 합니다. 당연히 two_way 방식으로 대응해야 하며, 학과의 전공지식과 군인으로의 책임감과 안보관, 인성을 구체적으로 내보여야 하는 특성이 있습니다.

공적 업무와 연계된 학과의 합격에 중요한 것은 '공적개념'과 '업무'에 필요한 능력의 증명입니다. 지원학생 대부분, '공적개념'은 확실히 정립된 경우가 많습니다. 하지만 당락은 주로 업무관련 진로역량에서 갈라집니다. 군관련학과는 실제 AI 등 정보역량이, 경찰이나 행정 같은 경우 경제, 통계, 법 분야의 진로노력이 굉장히 중요합니다. 절대 '군인, 경찰, 공무원이 되려고 한다,', '오랜 꿈이었다' 라는 감정이나 당위로는 합격할 수 없습니다.

독서활동의 중요성과 과정

제가 입시과정, 진로구체화 과정에서 가장 중요한 것으로 생각하는 것은 바로 독서를 통한 진로 탐색, 심화 과정입니다.

학생부 종합전형에서는 진로와 관련된 소스를 많이 준비하고 이것을 수행평가, 세부능력 특기사항 등 비교과 과정으로 바꾸는 것이 중요합니다. 일선 고교에서 2024학년도 대입부터 자기소개서가 빠졌기 때문에 학교생활기록부, 정확히는 비교과 부분의 중요성이 더 커졌고 관련된 내용을 진로, 심화 독서를 통해 보완하고 나타내고 있습니다.

하지만 학교생활기록부 역량 진단 후 진로 탐색과정을 살펴보면 진로 독서의 중요성과 학생, 학부모님의 관심과는 별개로 실제 제대로 해서 학교생활기록부 등에 기재되어 실제 무기로 사용하는 경우는 드물다는 것을 알 수 있습니다.

아쉬운 지점이며, 아래와 같은 방식으로 제대로 준비하여 무기로 삼을 수 있습니다.

- 즉, 미리 진로와 관련된 도서를 정하고,

- 그것을 함께 읽고 탐구하면서 제대로 된 지식으로 쌓으면서

- 피드백을 통해 자기주도적 비교과 활동의 소스 마련

하는 일련의 과정을 통해서 구체적인 무기로 만들 수 있는데요. 그럼 한 부분 한 부분, 자세히 말씀드려 보겠습니다.

(1) 진로 도서, 서적 정하기

1) 교과서 내용 심화, 확장, 집중

진로 관련된 키워드 소스를 얻기 위해서 교과서는 마중물의 역할을 합니다. 교과서의 내용을 심화, 확장, 집중하여 더 심도있는 주제를 공부해야 합니다.

2) 진로관련 주제

진로 탐색 이후 진로와 연관성 있는 주제에 관해 심층 탐구해야 합니다. 이것을 가장 편하게 하는 것이 바로 진로 심화 독서입니다.

'독서활동 대입 미반영'으로 학생들은 독서활동을 세부능력 특기사항 등에 우회적으로 학습경험과 함께 적고 있습니다. 그래서 상담 때 학교생활기록부 다른 부분에 적힌 인용도서들을 보면 진로와 관련성이 적거나 영감이 적은 도서가 있는 것을 발견합니다. 연관성이 없거나 적은 주제의 책을 선정하면 포인트가 안 됩니다. 수시 학생부 종합전형에서, 또 학교생활기록부 작성과정에서 유의미한 영향을 주는 도서는 진로 관련 도서입니다.

(2) 함께 읽고 탐구하여 제대로 된 지식을 쌓기

이렇게 선정된 책을 1개월 ~ 수개월간 통독 혹은 발췌독을 통해서 분석하고 제대로 된 개념으로 정립해야 합니다. 단순한 독서 감상문의 형태가 아니라 각 단원에서 말하는 다양한 내용 중 진로 중심으로 큰 줄기를 잡고 진로 목표, 진로주제와 관련된 질문을 만들어서 생각해 봐야 합니다.

그렇게 한 후에 현실에 적용하거나 실제 관찰, 실험, 통계 활동으로 연결하여 적용할 수 있습니다. 이것이 학생부 종합전형에서 원하는 학업역량, 진로 탐색 능력입니다. 즉, 읽고나서 직간접경험으로 제대로 연결해야 합니다.

만일 학생 혼자서는 읽기 어려우면 학생과 함께 읽어가거나 읽어줄 수 있는 과정을 계획해야 합니다. 책에서 나온 핵심부분을 함께 탐구해야 하고 이것을 간단명료한 형태로 정리하여 언제든 꺼내쓸 수 있도록 해야 합니다.

(3) 자기주도적 비교과 활동으로 연결짓기

평소 단원과 관련된 학교에서 주어지는 수행평가, 비교과 활동, 진로활동, 동아리 활동 등은 교과 단원학습 과정보다는 교과 진로 관련된 주제로 변형해서 생각해야 합니다.

과목탐구의 경험을 진로 관련성을 중심으로 재해석해야 하며 이때 가장 유용한 수단이 바로 진로심화 독서경험입니다.

학교생활기록부 작성 핵심노하우

(1) 마감일 확인 : 학년별, 학기별, 과목별 다른 상황을 확인고려

　[교육부_학교생활기록부 기재요령]상 작성 단위는 매 학년도입니다만 학기가 단위인 과목세특 등은 해당 학기 마감을 확인하고 생각해야 합니다.

　즉, 담임선생님이 맡고 계신 창의적 체험활동 부분과 종합의견란 등 부분은 1년 단위로 쓰여지지만, 교과 담임선생님들께서 진행하시는 과목은 학기별로 진행되는 경우도 있어 특히 1학기 마감시점 역시 반드시 확인해야 합니다.

　대부분의 학교들은 원칙적으로 1학기 기재 마감을 8월 31일까지 하고 있습니다.

(2) 마감기간 : 기준은 있지만 선생님들의 재량

　하지만 실무상으로 실제 학교생활기록부 마감은 학교들마다 각기 다를 수 있습니다. 이는 특히 학교, 선생님에 따라 다를 수 있

다는 의미입니다.

고1, 고2의 경우, 1학기의 경우 크게 방학 전인 7월 중순경에 마감하는 경우가 상당히 많이 있고, 고3 들은 3학년 1학기에서 대입을 위한 학교생활기록부가 마감되므로 과목에 따라 종종 방학 직후인 8월 31일에 마감하는 경우도 있습니다. (학교에서 통일적으로 기준이 정해지는 경우도 있습니다.)

방학 전 마감은 학교차원에서 종합점검하거나 학교활동기간이 이뤄지는 '학기 중 내용'으로 학교생활기록부를 구성하려 하기 때문이고 방학 직후 마감은 입시를 앞두고 최대한 많이 반영하려는 의지로 보입니다.

그렇기 때문에 반드시 담임선생님, 교과, 동아리 담당선생님께 여쭤봐서 방학 이전에 마무리 한다고 하면 빠르게 서두르고 방학 기간 직후 정리하신다고 하시면 방학 기간의 활동, 보완으로 학교생활기록부 기재를 추가할 수 있습니다.

(3) 학교생활기록부 각 항목의 작성 책임자 알기

1. 제4조(처리요령)

가. 학교생활기록부 항목별 입력 주체를 명확히 하여 학교생활기록부 기재와 관리의 책무성을 제고한다.

항 목		입력 주체
출결상황 특기사항		학급담임교사
학교폭력 조치상황 관리		학급담임교사
창의적 체험활동상황 영역별 특기사항	자율활동	학급담임교사
	진로활동	학급담임교사
	동아리활동	해당 동아리 담당교사
교과학습발달상황	과목별 세부능력 및 특기사항	교과담당교사
	개인별 세부능력 및 특기사항	학급담임교사
독서활동상황		교과담당교사, 학급담임교사
행동특성 및 종합의견		학급담임교사

(출처 : 2024학년도 학교생활기록 작성 및 관리지침_교육부 훈령 477호)

위의 내용처럼 각 항목에 대한 입력 주체가 다릅니다.

즉, 과목별 세부능력 특기사항(과목세특), 동아리 활동 등에 있어서는 교과 혹은 담당 선생님들이, 자율활동이나 진로활동 등 창의적 체험활동과 개인별 세부능력 특기사항 (창체 및 개인세특)의 경우 담임선생님이, 직접적으로 기재, 담당하시는 부분이므로 항상 소통하여 확인해야 합니다.

(4) 소통의 기술

['학생부 종합전형에 제대로 도전하려 하며, 더 잘 기재하고 싶습니다.']
라는 식으로 평소 잘 말씀 드리는 것이 좋습니다.

가능하다면 학생들에게 더 많은 기회를 주고 싶은 마음은 선생
님들께서도 마찬가지일 것입니다. 그래서 저는 다년간의 입시노하
우를 통해, 학생들에게 선생님들과 적극적으로 소통하는 노하우를
알려주고, 기회를 최대한 살리며 모든 부분 빠짐없이 최대한 꾹꾹
담아쓰도록 유도합니다.

중요한 것은 선생님과의 협의와 확인이 유기적이며 상호적이어
야 한다는 것입니다. 학교생활기록부 항목은 각 담당 선생님들께서
작성하시기에 재량권은 막대하고 강합니다.

(5) 소통의 상대

모든 학교생활기록부 관련 소통은 학부모님이 직접적으로 하면
안 좋은 때가 많으며 가급적 학생이 직접적으로 해야 합니다. '아'
다르고 '어' 다르다는 말처럼 뉘앙스와 요령이 굉장히 중요합니다.

평소 소통의 노력이 없다가 활동을 마무리하는 단계에서 마지막에 원하는 대로 안 나왔다고 수정을 원할 경우, 안 해주시는 경우가 대부분입니다.

(6) 생활기록부에 대한 관심과 실천은 곧 진학의지

입시에서 최종 책임자는 '본인'이라는 것을 분명히 인식해야 합니다. 학교생활기록부의 작성 주체는 선생님들이지만 주인은 바로 학생 자신입니다.

주인의식과 결과적인 책임감을 가져야 합니다. 학교생활기록부에 대해 선생님으로부터 확인하고 나아지기 위해 끊임없이 소통하는 그 자체로 학생의 입시 성공 확률은 높아집니다.

당연히 이렇게 적극적으로 요청, 확인하는 학생들은 이러한 것을 잘 모르거나 알더라도 행동하지 않는 다른 학생들보다 더 큰 경쟁력을 갖추게 되며, 이것은 자신감으로도 변해서 실제 입시에서 굉장히 큰 차이를 만들어 냅니다.

(7) 학교생활기록부 검토 실패의 문제 : 오류와 오타의 확인

내용적인 부분도 반드시 선생님들을 통해서 확인해야 합니다. 특히 자율, 진로활동, 동아리 활동의 내용 그리고 세특의 주요 부분 등의 경우 개별적으로 확인하지 않으면 어떤 내용이 기재되었는지 모르기 때문입니다.

나중에 면접준비를 하며 학생과 함께 학교생활기록부를 분석하며 활동상을 만들 때 종종 학교생활기록부에 오타나 오류가 있는 것을 발견할 때가 있습니다. 차라리 '오타'일 경우 잘 보지 못해서 그리 되었다고 말할 수 있지만 '오류'가 있을 경우 문제는 복잡해집니다. 그것이 실제 면접에 나올 경우 오류를 있는 대로 이야기할지, 오류를 수정해서 이야기 할지 결정하기 매우 어려워집니다.

학교생활기록부의 오류를 사실로 있는 그대로 이야기하면 말을 만들어야 하고, 오류가 기재되었다고 이야기하면 내용과 다르다는 이야기를 할 수 밖에 없어 그 과정에서 확인 미비를 인정하게 되는 것이라 어떤 식으로든 면접에서 불리해지기 때문입니다.

그러므로 이 시기 반드시 자신의 학교생활기록부를 확인해야 합니다. 이런 케이스가 예상 외로 굉장히 많습니다.

3. 학교생활기록부 분석 과정

3. 학교생활기록부 분석과정

- 왜 학교생활기록부를 분석해야 하나?
- 대입 교과 항목 분석 포인트 : 지원 가능 성적
- 내신 등급별 인서울 대학 합격전략
- 대입 비교과 항목 분석 포인트 : 창의적 체험활동
- 대입 비교과 항목 분석 포인트 : 세부능력 특기사항활동과 독서

- 학생부 종합전형에서 학교생활기록부의 중요성
- 학생부 종합전형은 자사고를 위한 전형인가? NO
- 분석 후 입시전략의 중요성1 : 3가지 핵심
- 분석 후 입시전략의 중요성2 : 2가지 전략 선택
- 학교생활기록부 관리의 필요성과 효율성

왜 학교생활기록부를

분석해야 하나?

중학교 학교생활기록부가 고입에서 크게 중요하지 않았던 것에 비해 고교 학교생활기록부는 대입에 있어 절대적으로 중요합니다. 수시, 학생부 종합전형의 경우 대학당국에서 필수적으로 반영하는

사항이며 면접 준비의 시작입니다.

다만, 가장 주목해야 할 것은 학생들 모두에게 공통으로 적혀진 부분이 많기에 '차별화'가 중요하고 그렇다면 어떤 식으로 차별화 할 지 전략이 필요합니다.

(1) 교과 내신으로 가능성 판단

현재 원하는 만큼의 내신이 안 나오는 경우에도 확인을 하시면 크게 도움을 받을 수 있습니다. 대입 준비시 고3의 경우 학교생활 기록부 적정성 판단을 반드시 해야 하며 고1, 고2의 경우에도 주 기적으로 현 기재상태와 미래전망에 관해 분석평가를 해야 합니다.

만일 원하는 학교의 학생부 종합 내신 컷 수준의 교과내신이 안 나올 경우 현 상황을 객관적으로 판단해서 학교생활기록부에 다양 한 여지, 옵션을 걸어야 할 뿐만 아니라 동시에 원하는 내신이 나 올 수 있도록 학습 동기를 만들어 줘야 합니다. 특히 내신성적이 부족할 때 학생과의 면담과 지도학습을 통해 학습법을 알려주고 학습과정을 꼼꼼하게 확인해서 내신성적의 향상을 도와야 합니다.

그렇게 해야 학교생활기록부의 비교과 준비, 작성이 더 큰 의미를 갖습니다.

자사고, 외고, 국제고, 특목고, 자율학교의 경우 과목이나 기재의 비교과 셋팅이 좋기 때문에 대학당국에서 보는 내신 컷에 다소 여유가 있고 정성평가라서 충격은 덜합니다. 하지만 자사고라도 1단계 전형에서 대학 당국에서 생각하는 내신 컷 기준이 있기에 이 기준을 일정정도 충족하는 것이 중요합니다.

(2) 비교과 확인과 작성으로 실현성 상승

학생부 종합전형에서는 내신, 교과성적 외에도 주로 창의적 체험활동, 세부능력 특기사항 등으로 구체화되는 비교과 활동, 진로활동에 관한 별도의 계획과 전략이 많이 요구됩니다.

그래서 학생부 종합전형을 준비하는 학생들은 내신성적 외에도 비교과 관련 활동, 진로활동 등을 컨설팅에서 상당히 많은 시간 준비합니다.

더불어 과거에 어떤 식으로 적혀져 있고 이런 흐름을 시간, 과목, 활동 간의 연계를 통해서 현재와 미래에 어떻게 연결시킬지 구상을 해야 합니다.

대부분의 학생과 학부모님은 진로에 관련된 사항 혹은 진로와 연결된 몇몇 단편적 사실이 있는지, 양은 충분한지로 판단하는데 그것은 잘못된 것입니다.

진로가 비슷하다면 당연히 세특, 동아리, 각종 정량, 정성적 성적 모두 비슷하기에 '적혀져 있다'는 것만으로는 다른 친구들과는 차별성을 드러낼 수 없습니다. 차별성을 갖는 다른 측면에서의 접근이 필요합니다.

물론 이를 위해서는 진로에 관한 이해 뿐만 아니라 주제에 관한 전문지식, 노하우 역량이 필요합니다. 수시로 확인하여 논의 여지가 적거나 나열로 족한 것은 간단히 정리 및 마무리하고, 진로 중심에서 현재 잘된 것을 연결, 확장, 발전시켜야 합니다.

- 합격팁 : 좋은 수시컨설팅 전문가를 만나기 어려운 이유

제게 의뢰해주시는 학부모님들은 교육전문가 혹은 합격 학생의 주변의 친인척, 자매, 형제, 동료, 이웃분들이 대부분입니다.

우선 공, 사교육 전문가들은 입시제도의 장단점을 잘 파악하고 있어 학생부 종합전형의 절대적인 유리함에 대해서 잘 알고 계십니다. 또 거기에 더해 교육전문가이므로 관련 전문가의 옥석도 가릴 수 있기 때문에 공교육의 현직 중,고교 교사분들이나 사교육의 국어, 영어, 수학, 사회, 과학 강사분들의 의뢰가 굉장히 많습니다.

또 이 커리큘럼 자체가 학생부 종합전형의 1대1 맞춤식 지도와 잘 매칭이 잘 되는 것을 아는 합격생 학부모님들과 그 주변 지인분들의 지지가 많습니다. 현재도 용인외대부고, 북일고, 상산고 등 자사고나 경기도 지역 외고 학생들을 꾸준히 지도 관리하고 있으며 함께 정한 진로 컨셉으로 서울대 경제학과를 비롯하여 많은 좋은 대학, 학과에 합격하는 사례가 많기에 자연스럽게 추천이 생깁니다.

입시, 특히 수시 학생부 종합에서는 지도컨설턴트의 역량도 굉장히 중요합니다. 최정상급 전문가로 지도 뿐만 아니라 입시과정 전체를 관통하는 입시전략을 세울 수 있기 때문입니다.

다만 지도를 받는 것 자체로 이점이 굉장하여 역설적으로 이런 컨설팅 지도, 정보는 사실 학부모님들 사이에서도 핵심정보로 분류되어 굉장히 친한 경우나 입시 성공 후가 아니면 공개 자체가 안됩니다. 학부모님들의 마음을 알기에 전 '그것 자체가 나쁜 것이 아니며 오히려 그렇게 하셔도 된다'고 말씀드립니다.

중요한 것은 '제가 지도하는 학생의 합격'입니다. 누가 누구를 생각해서 추천을 하고 천금 같은 정보를 이야기하나요. 소개 없이도 매년 바쁘고 안 해주셔도 되니 지도를 받으면서 절대적인 신뢰를 보여주시고 우려하시지 말고 지도의 이점을 100% 가져가시라 말씀드립니다.

대입 교과 항목 분석의 포인트 :

지원 가능 성적

(1) 지원가능 성적에 관해서

　우선 대학별 전년도 입시결과표를 주로 참고하시면서 살펴 보셔야 합니다. 정량평가, 정성평가의 차이는 있지만 교과내신이 학생부 교과와 학생부 종합의 내신 커트라인의 중간에 있을 때 이것이 학생부 종합전형의 지원가능 성적입니다. 만일 학생부 교과보다 성적이 좋다면 학생부 교과로 들어가면 되니, 굳이 학생부 종합으로 쓸 이유가 없기 때문입니다.

　공고된 작년도 기준의 학생부 종합보다도 점수가 낮을 경우는 위험합니다. '학생부 종합의 최저치로 합격을 했다.'는 의미는 학교생활기록부가 최상으로 쓰여졌고 면접도 최상급으로 잘 봤다는 것을 의미하므로 그 기준보다 본인의 성적이 낮다면 합격할 확률은 굉장히 적어지기 때문입니다.

사실 이렇게 간단히 적어놨지만 다소 복잡합니다. 전년도 전형별 내신 커트라인 등이 공고되지만, 이 자료가 평균지원자자료인지, 평균합격자자료인지, 70%점수인지, 90%점수인지, 1단계 합격자 기준인지, 최초합격기준인지, 최종등록자 기준인지 여러 기준이 있기에 그에 따라서도 분석이 다르기 때문입니다. 여기에 충원률, 해마다의 경향성, 경쟁률 등의 변수가 고려되면 좀 더 복잡하게 됩니다.

이런 변수들 때문에 학생, 학부모님들께서 실제 직접 살펴보기 어렵습니다.

(2) 정성평가에 유리한 내신성적 형태

앞선 단계가 가장 중요한 분석입니다. 하지만 세부적으로 여기에 만일 지원계열 선택과목을 선택한 것, 그리고 성적 등급 외에 절대평가화된 성적 또한 정성판단의 중요한 변수가 됩니다. 사실 이 부분에 강점이 있어 자사고 등의 불리함이 많이 보정되어 왔습니다.

자사고 등은 학제의 자유로움으로 인해 다양한 강의가 개설되어 있고 최근 경향을 보면 중간 석차제의 불리함을 감수한 채 시험 난이도 조절을 통해 절대점수 자체로 평균점수가 높게 형성하여 불리함을 많이 극복하고 있습니다.

일반고에서도 최근 이것은 충분히 가능한 환경이 되고 있습니다. 본인의 희망 진로 분야의 수업을 적극적으로 알아보고 선택과목이나 주문형수업 등을 적극적으로 들어야 합니다.

내신 등급별 인서울 대학 합격전략

학생부 종합전형에서는 평가가 정성평가로 진행되기에 교과 내신성적이 절대적인 기준은 아닙니다. 하지만 내신성적은 성실성을 판단케 할 뿐만 아니라 기초학업역량과 향후 대학 진학후 수학능력을 나타내는 중요한 척도이기에 대학 당국에서 이 기준을 무시하지 않습니다. 각 내신 등급별 고민사항과 준비전략에 대해서 알아보도록 하겠습니다.

학생부 종합 전형에서 가장 유리한 학생은 상위 40% 이내인 내신 2, 3, 4등급대 학생들입니다. 이 구간의 학생들은 반드시 수시 학생부 종합을 이용해야 합니다.

인서울 주요대학 학생부 교과 내신 컷이 대체로 1등급 초반에서 2등급 초중반이기에 학생부 교과를 통해서 원하는 대학에 들어가기 어렵지만 학생부 종합으로는 들어갈 수 있습니다. 실제 제대로 준비한 학생은 자신의 정시 점수와 교과 내신 컷으로 들어가지 못하는, 원하는 대학에 합격하는 사례가 많습니다.

(1) 2등급 학생들의 학생부 종합 전략

1등급 중후반에서 2등급 대 학생들은 학생부 종합전형 준비 여하에 따라서 최상위권 대학을 노릴 수도, 상위권 대학조차 다 탈락할 수도 있습니다.

이 내신 점수대에서 최상위권 대학에 진학하기 위해서는 별도의 비교과 준비와 노력이 필요합니다. 비슷한 등급 대의 경쟁자들이 학교에서 기대받을 뿐더러 공을 많이 들인 경우가 많기 때문에 이 등급 대에서는 외면적인 것보다는 실제 시간을 많이 투입, 활동의 양과 질로 승부해야 합니다.

반면에 학교생활기록부와 비교과 준비가 안된 학생들의 경우, 비록 내신 등급이 좋더라도 정성평가로 이뤄지는 수시 전형에서 탈락하는 경우를 많이 봅니다. 이 등급 대의 학생들은 역설적으로 내신에만 집중한 사례도 많고, 오히려 학교와 일반 학원의 어설픈 관리가 독이 되어 창체, 세특이 차별성이 없고 일반적인 경우도 많기에 제대로 된 조언자를 통해 조언을 얻어 입시를 준비해야 합니다.

(2) 3등급 학생들의 학생부 종합전략

가장 많은 상담이 이뤄지는 내신 등급대이며 준비 여하에 따라 인서울권 상위권대와 중하위권대학에 합격이 나뉘어집니다.

이 등급대의 학생들의 학교생활기록부를 분석해보면 예상외로 잘 정리된 학교생활기록부와 비교과 활동이 드뭅니다. 반대로 접근하면 조금만 관리해 주고 정리해도 비슷한 대학군을 노리는 다른 경쟁 친구들과 '차별성'을 보일 수 있습니다.

이 등급 대의 학생들은 내신의 부족으로 수시 학생부 교과로 자신이 원하는 대학에 지원해서 합격하기 어려운 경우가 많습니다. 반면에 학생부 종합으로 제대로 준비한다면 내신의 부족을 충분히 커버하고 원하는 대학에 여러 곳 합격할 수 있습니다.

(3) 4등급 학생들의 학생부 종합전략

이 등급의 학생들은 준비 여하에 따라서 인서울대 중상위권 대학에 합격하기도 하고 중하위권대학, 전문대학으로 진학이 나뉩니다.

일반고 기준으로 이 등급은 학생부 교과로 대다수의 학교, 학과가 어렵고, 종합으로도 최하위권이라 정말 어려운 내신등급입니다. 하지만 과거 제 학생들중에서도 내신 4등급 초, 중반대인데, 학교내신공부, 수능대비 이상으로 비교과에 공을 들이고 준비하여 본인이 원했던 인서울권학교, 학과들에도 합격한 사례들 역시 다수 있습니다.

이 등급대의 학생들은 학교생활기록부를 잘 정리하는 것이 드물기 때문에 조금만 준비해도 굉장한 차별성이 생겨 학생부 종합전형에서 좋은 결과를 얻을 수 있습니다. 다만 일반고 기준으로 학교에서 적어주시는 것이 소극적일 수 있으므로 학생, 지도컨설턴트가 함께 더 적극성을 학교생활기록부 기재에 노력해야 합니다.

(4) 자신있는 준비의 필요성

학생부 종합전형은 노력하는 과정이나 경쟁이 잘 보이지 않습니다. 한 발 더 나아가 없는 것처럼 보이기도 합니다. 하지만 실제로는 보이지 않을 뿐 경쟁은 존재합니다. 다만 경쟁의 양상과 모습이 다른 것입니다.

학교와 일반적인 학원에서는 교과중심의 대비는 수월하지만 진로중심의 대비는 한계를 지니고 있습니다. 그래서 다른 친구들이 그 곳에서 준비, 대비하는 것은 잘 안 보이지만 혼자서 차근히 준비하거나 컨설팅을 통해 체계적으로 준비하는 학생들이 많습니다.

아주 냉정하게 현재에 대해서 정확히 파악해야 합니다. 그래서 어떤 전형을 메인으로 노려야 할지 선택해야 합니다. 일반고 기준 각 과목별로 95점 정도 맞으면 과목별로 2등급, 90점 정도이면 3등급 정도 나오는 것이 현실입니다. 상당히 열심히 하고 잘 한 것이기에 기대치는 높지만 나중에 인서울 라인이 어려운 것을 늦게 아시고 이렇게 준비가 부족한지 몰랐다고 많이 말씀해주십니다. 입시는 기회와 가능성이기에 미리 적극적으로 준비해야 합니다.

대입 비교과 항목 분석의 포인트 :
창의적 체험활동

(1) 자율활동

자율활동에서는 대외 리더십활동, 학교, 학급활동 등이 기재됩니다. 학생의 대외 리더십은 종합평가 항목에서 직접 기술되는 경우도 있지만 자율활동 등에서 특히 많이 나타납니다. 단지 학급자치 회장, 부회장 등의 외형적인 면이 아닌 그러한 활동이 주변 친구들에게 어떤 좋은 영향을 미쳤는지 같이 기술되면 좋습니다.

그러나 실제 입시에 있어 평가단계에서 물론 좋은 차별점임에는 틀림없지만 그것 자체로는 입시에서 큰 메리트가 있지는 않습니다.

자율활동에 대부분 학급활동, 학교활동이 많이 쓰여집니다. 과거에는 천편일률적으로 적어주시곤 했습니다만 대부분 공통활동이라 그런 식으로 기술되면 공간만 차지할 뿐 입시에서 큰 장점이 없습니다. 그래서 최근에는 학교, 학급의 공동활동을 자신의 진로활동으로 가져와서 활용하는 추세입니다.

또 경우에 따라서 진로 탐색한 내용을 확장해서 쓰기도 할 수 있습니다. 이 때 담임선생님께서 적어주시므로 미리 잘 말씀드려서 학교생활기록부 기재방향을 진로쪽으로 유도해야 합니다.

(2) 봉사활동

봉사활동은 일부에서 형식적으로 하고, 확인불가능한 형태로 발급받는 상황이 지속되어 그 효용, 신뢰성에 대한 의문이 널리 공감대를 얻게 되었습니다.

그러던 중 코로나19를 통해서 오프라인 활동이 어렵게 되었고 현재는 상당부분 유명무실해졌습니다. 하지만 최근 학교폭력의 문제, 교권의 문제가 불거지고 있어서 앞으로 점점 강조될 가능성이 크다고 생각합니다. 단, 경험해 본 바 현 시점에서는 입시에서 내용과 양이 크게 중요하지 않습니다.

(3) 동아리 활동

주요 동아리 활동은 공동체생활, 리더십과 진로에 대한 관심와 노력 등을 보여줄 수 있기에 중요한 활동입니다. 즉, 동아리 분야 기술은 2가지 분야에 초점을 두어야 합니다. 동아리 활동과정에서 리더십을 어떻게 성장시켰는지와 해당 동아리에서 진로관련 역량을 어떻게 키워나갔는지입니다. 동아리 활동과정에서의 리더십은 반드시 기장, 동아리장 등 역할에 한정되지 않습니다. 본인만의 특화된 능력, 동아리에서의 역할이 잘 표현되면 좋습니다.

또 중요한 것은 해당 동아리에서 어떻게 진로관련 역량을 키워갔는지입니다. 만일 이과 계열의 학생이 실험동아리에 들어갔다면 어떤 활동을 통해서 본인의 진로역량을 키워졌는지 구체화하는 것이 중요합니다. 이 때 주의해야 할 점은 동아리 구성원들이 각기 다른 진로구상 등이 있어서 자칫 나의 진로 관련 연구가 없거나 작을 수 있다는 것입니다. 이 때 소극적으로 끌려 다니지 말고 좀 더 적극적으로 어필해서라도 동아리 활동을 내 진로활동과 연결시켜서 무기로 만들 것을 마련해야 합니다.

그렇지 않으면 일상적인 교과 확장 활동이 되거나 다른 분야진로활동에 가깝게 되어버려서 내 입시에 사용할 수 없기 때문입니다.

그 밖에 운동이나 예체능도 굉장히 긍정적입니다. 시간이 정령 없을 때 할 필요는 없지만 1기 1체 등의 활동은 리더십을 강조하고 나타낼 수 있기 때문에 고액의 예체능 활동이 아니더라도 한가지라도 꾸준히 한 활동이 있다면 적히면 좋습니다.

(4) 진로 활동

진로 활동은 진로와 관련된 탐색과정에 초점을 두고 있습니다. 대부분 인적성검사, 학교방문, 전문가특강 등을 넣는 경향이 있습니다. 하지만 이렇게 넣으면 실전에서 도움이 안되며, 이 진로활동 역시 자신의 진로분야로 한정되어 써져야 학생부 종합전형에 도움이 되는 활동이 됩니다. 가급적 진로역량을 보여줄 수 있는 주제 혹은 키워드로 구체화시켜야 의미가 있습니다.

(5) 보충 논의 : 실전에서의 차이

상대적으로 이 부분은 학교, 담임선생님별 열의에 따라 다르게 기술됩니다. 적절한 피드백으로 학생을 통해 선생님을 설득, 유도하여 최대한 학생에게 유리한 학교생활기록부 주제 키워드 등을 만들고 바로 기재되도록 노력해야 합니다. 그러면 같은 학교, 선생님일지라도 월등하게 학교생활기록부가 좋아집니다.

대입 비교과 항목 분석의 포인트 :
세부능력 특기사항 활동 및 독서

(1) 세부능력 특기사항 활동

고교 학교생활기록부의 세부능력 특기사항 활동은 학생부 종합 전형에서는 대입에 직결될 정도로 중요합니다. 또 생활기록부 내에서도 굉장히 많은 지면을 할애받고 있기에 학생의 능력을 반드시 어필해야 하는 활동입니다.

우선 일차적으로 고교 학교생활기록부는 학교 내 교과활동에 근거한 자기주도학습 관련에 중점을 두고 진행하고 있습니다. 그래서 단원별 탐구주제와 수행평가 주제 등으로 학생 개별적인 진로나 성장과정보다는 일반적인 설명이 많습니다.

이 방향을 진로학습과 관련된 방향으로 재조정하고 풀어내야 합니다. 대학 당국에서 학교생활기록부를 분석하고 확인할 때 보는 것은 해당 과목의 진척도만을 보는 것이 아닙니다.

즉, 과목 세특부분은 확실히 심화, 확장을 꾀하더라도 진로 중심적인 면에도 신경써 해당 과목의 역량을 진로 탐색, 발전에 어떻게 활용했는지 드러내야 합니다.

이 포인트에서 학교생활기록부 평가에서 많은 오해가 생깁니다.

우리 학생들 대부분 착하고 성실한 경우가 많습니다. 특히 과목별로 90점 정도될 때 2, 3등급이 나오는 것을 생각한다면 그 아래 등급이라도 다들 열심히 노력합니다.

이런 학생들을 보며 선생님들 또한 신경을 써주시지만 대부분 교과활동내 자기주도학습 관련 부분입니다. 그래서 진로 관련된 부분은 대부분 부족하고 학생들에게 맡겨져 있습니다.

그렇기 때문에 선생님들께서 최대한 도와주시려 세특의 양을 많게 또 좋은 말씀을 많이 써주셔도 막상 학생부 종합전형에서 볼 때 잘 된 학교생활기록부가 아닐 수 있습니다.

이 점을 굉장히 조심하셔야 하며, 이것이 바로 따로 챙겨 과목별 주요 활동을 학생 스스로 혹은 전문컨설턴트와 제대로 노력해서 채워야 합니다.

(2) 독서

학교생활기록부에서 현재 미반영영역이 되었지만 이는 오히려 형식적인 것을 실질화시켜 강조한 것으로 이해해야 합니다. 실제 면접 평가에서는 이 부분은 굉장히 중시됩니다. 책 선정 자체에서 굉장히 중요한 평가포인트가 들어가며 책과 관련된 연계활동이나 본인 스스로 느낀 점, 경험화시킨 지점으로의 연결이 더욱 중요합니다.

10년간 대입 입시를 경험해보니 우리의 생각 이상으로 실전 입시(면접 포함)에서 교수님들, 입학사정관님들께서 독서경험을 높게 평가한다는 것을 알 수 있었습니다. 오해의 소지가 있는 것이 대입에서 독서활동이 미반영된다고 하여 독서활동이 축소된 것으로 생각하시는데, 오히려 반대로 독서활동이 강조되고 실질화되는 것으로 이해하셔야 합니다.

대입에서 자기소개서가 있을 때 서울대 자기소개서 양식 역시 독서경험을 넣는 방식이었습니다. 저 개인적으로도 '도서와 그 이해를 통해 학생의 성향과 진로 노력, 사고력을 알 수 있다.'는 점에서 좋은 인재를 판단하는 최고의 평가방법이라고 생각합니다.

그렇기에 학교현장에서도 독서관련해서 세특(세부능력 특기사항)과 창체(창의적 체험활동) 등에 기술, 기재되는 사례가 굉장히 증가했습니다. 그렇기 때문에 창체, 세특 등 진로관련 교과항목에 도서를 찾아 읽어 적는 것이 좋습니다.

학생부 종합을 심사하시는 입학사정관님들, 교수님들께서는 진로독서를 위해서 따로 외국어를 별도로 공부하실 정도로 굉장한 독서광이 많으십니다. 거기에다 오랜 전문가로 해당 학과의 전공자들이 많이 읽는 책을 읽으시거나 실제 저자로 참여하신 경우가 굉장히 많습니다.

이 때 독서 자체와 그 독서를 통해 뽑아낸 키워드나 주제의식만으로도 학생의 해당분야에 관한 이해와 탐구정도를 파악할 수 있기에 관련 활동이 중요한 것입니다.

학생부 종합전형에서 학교생활기록부의 중요성

제 관련 도서 중 고입 관련 자사고 대비서인 [상위 20% 내아이, 자사고, 외고, 국제고 보내기]라는 저서에서 비슷한 부분이 있습니다. 거기에서는 학교생활기록부가 자사고 등 입시에서는 참고사항이며 도말처리된 부분도 많기 때문에 자기소개서와 면접을 통해서 구체화하면 된다고 말씀드렸는데요.

대입에서는 이와 달리 학교생활기록부를 관리하지 않고는 학생부 종합에서 절대적으로 합격이 어렵습니다.

실제 원서 작성할 때 보면, 학생부 교과와 종합간의 내신 갭 차이가 있기 때문에 관리가 덜 되어도 일단 학생부 종합기준으로 교과내신이 여유로우니 지원하시는 경우가 많습니다. 이럴 경우 합격확률이 굉장히 떨어집니다.

학생부 종합 기준 평균치보다 내신컷이 많이 높아도 떨어지는데요. 이것은 문제를 잘못 보고 다른 답을 적어내어 0점처리 되는 것과 비슷합니다.

앞서 1장에서 말씀드렸듯이 학생부 교과전형과 종합전형은 원하는 인재상, 즉 전형 목적이 다릅니다. 학생부 교과전형은 내신을 정량 평가하여 학교생활의 성실성을 보고 자동으로 교육 환경, 여건 보정 효과가 있기에 대도시, 학군지가 아닌 상태에서의 잠재역량을 고려, 선발하려는 전형입니다.

그에 반해 학생부 종합전형은 내신교과, 비교과를 정성평가하여 교과내신에서는 기초 학업역량을, 비교과를 통해서는 진로탐색, 진로잠재력을 확인하기 위한 것입니다. 그러므로 교과성적에 대해서 해석이 다릅니다. 학생부 종합전형에서는 교과성적은 조금 부족하더라도 진로노력과정에서의 포괄적인 학습역량을 보겠다는 것입니다.

이런 전제하에서 입학사정관과 학교당국의 입장에서 생각해봐야 합니다.

성적은 어느 정도 맞추어 졌지만 비교과 준비가 덜 될 경우,

'이 학생은 우리 학교는 오고 싶은데 학교 교과성적은 안 되어서 학생부 교과는 어렵고, 학생부 종합 성적 기준은 되니 지원을 했군, 물론 진로 목표는 같지만 치열하게 고민하거나 구체적인 노력은 별로 없으니......'

하고 생각하시겠죠.

이렇게 되니 이건 떨어집니다. 저도 십수년 분석을 하면서 한번 쭉 읽는 것만으로도 학생이 얼마만큼 노력을 했는지 다 보이는데요. 해당 전공분야의 학문적 성취는 둘째치더라도 매년 수 백건씩 이것을 분석하는 교수님이나 입학사정관분들께 이런 속내가 안 보일 수는 없습니다.

대학 당국에서는 현재 학생부 종합에서 면접으로 학교생활기록부를 보완하는 경우가 대부분이지만 한양대 같은 경우 오랜 기간 학교생활기록부 자체만으로 평가, 선발해 왔습니다. 자체 평가 노하우가 충분합니다. 그렇기 때문에 학교생활기록부 자체를 입시, 그 자체로 보고 엄중하게 생각하며 심혈을 기울여 단 한 자라도 의미있게 적히도록 노력해야 합니다.

학생부 종합전형은 자사고를 위한 전형인가? NO!

뒷 부분의 합격 사례 분석 글에서도 적었지만, 많은 학부모님들, 심지어 입시관계자라는 분들께서도,

1) 자사고에서 채우고 있으므로 학생부 종합전형의 내신 컷은 믿을 만한 것이 안 되는
2) 학생부 종합전형에서 일반고는 비교과 어필이 불가능하며 자사고를 우대하기 위한

전형이라고 까지 말씀들을 하십니다.

그런데 제가 경험해 본 바, 실상은 그렇지 않습니다. 학생부 종합전형에서 원칙적으로 자사고 등과 일반고를 차별하지 않습니다. 오히려 대입 현장에서 보면 비교과로 적힌 정도가 같다면 일반고 학생이 유리하기까지 합니다. 교육 인프라가 부족한 상황에서 '비슷하게 만든다'는 것 그 자체에서 그만큼 잠재력이 있는 것을 보여주니까요.

자사고 등이 상대적으로 유리한 것은 교과부분에서 학제상의 자유 때문에 심화 경제학, 고급 물리와 같이 그 자체로 전공에 밀접한 과목을 들을 수 있고 관련된 세특 키워드 자체가 진로 연구가 많이 된 키워드이기 때문입니다. 거기다가 선생님들 수용성도 일반고보다는 좋은 편이라 학교생활기록부 기재 틀 자체가 좋은 경우가 많습니다.

　물론 블라인드를 한다 해도 과목명 등으로 이 학생이 자사고인지 일반고인지 알 수는 있습니다. 하지만 그 자체를 평가요소로 보고 차별하지는 않습니다.

　좋은 진로 탐구 주제로 기재된다면 일반고에서도 충분히 좋은 결과를 얻을 수 있습니다. 중요한 것은 '학교생활기록부가 제대로 관리되는가'와 '어떤 진로컨셉주제로 채워졌는지'입니다.

분석 후 입시전략의 중요성1 : 3가지 핵심

　매년 입시의 최전선에서 지도해 본 입장에서 보면 함께 치열하게 입시의 레이스에 뛰어들면 정말 시간이 빠르게 흘러갑니다. 치열한 입시현장에서 입시를 치러보면 격랑의 바다를 건너는 여정과 비슷하다는 생각이 듭니다. 준비가 잘 되어 좋은 배를 타면 격랑 속에서도 안전하게 반대편 좋은 육지로 향하기도 하지만 준비를 안 하고 그냥 건너면 높은 파도에 휘말려 고생하기도 합니다.

　최소한 예비 고3시기에는 반드시 입시전략을 확인, 준비해야 합니다. 입시전략을 진단하고 앞으로의 상황을 생각하는 과정이 바로 입시라는 파고를 넘기 위한 배를 준비하시는 과정이라 생각하시면 됩니다.

(1) 시기 : 고2, 고3 마지막 학기를 절대 놓치면 안 됩니다!

　큰 흐름을 정할 중요한 기회이므로 학교생활기록부 마감 때까지 빠르게 학교생활기록부의 방향을 정해야 합니다. 이것이 왜 중요하냐면 학교생활기록부는 하나의 흐름, 연속된 기록이기에 지금 이 시점에서 확인을 안 하면 앞으로 3학년 1학기만 남은 상태에서 운신의 폭이 굉장히 좁아지기 때문입니다.

이 시기에 이것이 정리 안되면 1, 2, 3학년 진로목표가 다 따로 가거나 너무 좁거나 넓게 가서 고3 때 수시 전략을 세우기 어려워집니다. 반드시 이 시기 학교 및 전문 컨설턴트와 상담하여 창의적 체험활동과 세부능력 특기사항 등의 비교과부분을 진로 위주로 차근히 작성, 정리하셔야 합니다.

(2) 실천 : 필요성은 알지만 그대로 있는 것이 가장 위험!

상황에 처한 이들의 직관력이나 문제상황에 관한 느낌은 매우 정확한 경향이 있습니다. 일종의 본능적인 위기, 위험 감지능력입니다.

학부모님들께서는 '현재 문제가 있고 이대로는 안된다'고 생각할 때 어렵게 전화기를 드시고 유선상담을 하십니다. 하지만 상담을 하더라도 그냥 문제상황만 피상적으로 확인하고 그대로 머무르면 위기, 위험을 피할 수 없습니다.

입시 전략의 필요성을 느끼시면 반드시 현재의 상태를 확인하시고 진단하여 대책과 로드맵까지 확인하셔야 합니다. 그래야 합격을 위한 길을 만들 수 있습니다.

(3) 판단 : 판단은 항상 학생부 교과전형 기준으로 냉정하게!

일반고 기준 현재 80점 대 후반이나 90점대 초반 성적이 나와주면 학교, 학원의 말만 듣고 이런 상황에서 막연히 잘 하고 있으니 잘 될 거라고 생각하시면 안됩니다. 현재 내신기준으로 이렇게 나오면 2점 중후반에서 3점대 나오는 경우가 많습니다.

이때 내 실력을 객관적으로 판단하는 것은 이 기준으로 학생부 교과 전형의 합격권과 비교해 보는 것입니다.

대부분 목표로 하는 학교, 과는 분명 자신이 받은 내신 컷보다 합격권이 높게 형성되어 있을 겁니다.

이 기준으로 분석해보면, 현재 위기 상황이 바로 체감됩니다. 이 학생부 교과기준이 학교를 잘 다니고, 여러 곳 학원들 다니며 보통 수준으로 비교과를 준비했을 때, 현재 시점에 수시전형으로 갈 수 있는 대학, 학과이기 때문입니다.

- 합격사례 : 학과 옵션 확장의 필요성

고2, 고3 1학기 전에 컨설팅을 통해서 학교생활기록부를 정리하고 학교, 학과 옵션을 확장시킬 수 있습니다.

우리 학생은 당초 인문대학, 역사학과를 지방했는데 향후 대입지원시 유리하게 원서를 쓰기 위해 진로 컨셉주제 자체의 옵션을 살폈습니다. 꼼꼼히 과거 자료 중에서 어필할 수 있는 요소를 찾아 학교생활기록부의 활동을 묶거나 생략, 강조하여 설명가능한 자료 형태로 바꿔나갔습니다. 이후 학교생활기록부 작성, 정리를 통해 최신 학계의 흐름과 연구, 그리고 시의성도 가미하여 본인 만의 진로로드맵을 완성하였습니다. 이렇게 하면서 지원 옵션 역시 당초 역사학과 뿐만 아니라 미디어 콘텐츠 계열로 확장하였습니다.

또 당초 어문계열로 중국관련된 진로목표가 있던 학생도, 전문성을 토대로 일단 학교생활기록부를 제대로 된 진로컨셉 중심으로 재편하고 주제 역시 정리해나갔습니다. 학부모님, 학생과 협력하고 자료를 모았고 관련 활동에서 응용, 확장하여 국제계열 역시 도전해보자고 하여 옵션이 열려 이후 대입시 국제계열과 어문계열을 동시에 쓸 수 있게 되었습니다.

분석 후 입시전략의 중요성2 : 2가지 전략 선택

정밀한 분석 후 앞으로의 전략과 방향이 크게 나뉘는데,

1) 부족하니 더 열심히 국어, 영어, 수학 학원을 다니고 공부해서 내신성적을 올려야지!!

2) 빨리 학생부 종합전형을 준비해서 잘 맞춰서 가야지!!

이렇게 대응이 나뉩니다.

(1) 내신전략 선택

교과학습 중심으로 교사, 강사가 배정되고 시스템이 흘러가는 학교, 학원은 대부분 이 전략을 선호, 추천합니다. 학생들, 학부모님들께서도 조금만 더 하면 될 것 같고 실제 학교, 학원 시스템 그대로, 세월의 흐름대로 가면 되기에 이 방법이 선택됩니다.

하지만 실전에서는 이 선택을 하신 분들 대부분 실패하시고 후회합니다. 다들 열심히 하는 현실 속에서 내신을 평균 0.5 이라도 끌어 올리기는 정말 쉽지 않습니다.

(2) 비교과전략 선택

오히려 비교과 선택전략을 취하시고 그 때부터 내신을 보수적으로 관리하고 시간을 비교과 관리에 들이신 학부모님, 학생들은 확연히 다른 길, 소위 말하는 '꽃길'을 걷게 됩니다.

제대로 1년 이상 준비할 경우 갈 수 있는 학교 그룹이 학생부 교과기준보다 1~3그룹 이상 상향됩니다. 2~5등급 선에서 인서울, 인, 인경기를 수시 전형으로 목표삼을 수 있기에 정시 부담도 줄어 반대로 내신에 전념할 수 있게 되는 것은 덤입니다.

특히 고1, 고2 학부모님들께서 나중에 고3이 되어 수시 지원을 하시거나 입시를 마치시면 이 때 대부분 내신 전략을 취하신 분은 후회의 말씀을, 비교과 전략을 취하신 분은 감사의 말씀을 전하십니다.

사실 특별한 말씀이 아니고 의지와 현실의 차이 그리고 교육통계적으로 나와있는 사실(대부분 1학년 때 내신성적이 거의 3학년 때까지 그대로 감)을 고려하면 당연한 분석이고 대응입니다.

다만 학교, 학원의 시스템을 따르다 보니 탄력적으로 대응하지 못하여 순간 행동하고 실천하지 못해서 이런 굉장히 큰 불이익을 마주하게 됩니다.

사실 이 말씀이 이 책의 내용 중 가장 중요한 대입, 학생부 종합전형의 가치이고 핵심입니다. 이 부분의 메시지가 전달되었으면 이 책의 내용을 다 이해한 것이라 봐도 무방할 정도입니다.

- 합격사례 : 빠른 전략적 판단의 중요성

 분석 후 학생부 교과를 쓰기에 내신등급이 부족하거나 비교과 관리가 안되었을 때 학생부 교과는 물론이고 학생부 종합으로 지원해도 내신 1점대 초중반이라도 맥없이 떨어지게 됩니다. 경기도 평준화 일반고를 다니던 우리학생은 저와 분석 후 이런 가능성을 대비했습니다. 다행히 우리 학생과 학부모님 모두 상황을 냉정히 보았고 입시가 쉽지 않음을 알았기에 과감하게 학교생활기록부 관리와 면접의 전과정을 저와 함께 미리 준비하였습니다.

 예상대로 종합내신은 어느 정도는 나왔지만 학생부 교과로 쓰기에는 무리가 있었고 수학 교과내신이 4등급으로 극도로 안 좋아 불안했지만 신뢰와 함께 준비한 학교생활기록부와 면접을 바탕으로 성균관대, 한양대를 포함한 학생부 수시 지원학교 5개의 학교에 합격하게 되었습니다.

학교생활기록부 관리의 필요성과 효율성

학교생활기록부 관리와 컨설팅이 왜 중요하고 효율적인 지를 설명 드려 보겠습니다.

(1) 관리, 컨설팅의 필요성

Q1. 국어, 영어, 수학, 과학, 사회 학원 다니기도 바쁜데 학교생활기록부 컨설팅이 큰 필요가 있나요?

A: 오히려 별도로 반드시 준비하셔야 합니다.

기존의 과목별 대비로는 학생부 종합전형에 효과적으로 대응하기 어렵습니다. 과목을 본인의 진로와 연계한 것이 학교생활기록부 각 항목에 기술되어야 하는데 과목 학습을 통해서는 대비가 불가능하기 때문입니다. 과목 학습을 하더라도 이는 내신성적에 영향을 미칠 뿐 과목과 진로 연계는 별도의 전략과 구상이 필요합니다.

(2) 상시 관리의 필요성 : 활동과 기재시기 차이

Q2. 평소 그냥 수업 듣다가 학기 말에 관리하면 되는 것 아닌가요?
A : 평상시 과목마다의 특성을 고려해서 준비해야 합니다.

'학생부 종합전형은 주로 세특 및 창체 활동 등을 반영하니, 그러한 사항이 쓰여 지는 학기 말에만 열심히 하고 정리하면 될 것'이라고 생각하시는 학생, 학부모님도 계십니다.

하지만 세특, 창의적 체험활동에 반영되는 활동을 수행하는 시기는 선생님의 재량이며 주로 학기 중 상시적으로 이루어지기에 학기 말에만 신경을 쓰면 늦거나 준비하지 못할 가능성이 큽니다.

기재는 학기 말에 되지만 활동 자체는 학기 중 내내 이어집니다. 실제 학기 말에 자신의 계획대로, 자신의 진로에 맞는 주제를 가져가면 선생님들께서 반영해주지 않는 경우가 굉장히 많습니다. 학교 선생님 입장에서 '학교 교과수행과정은 무시하고 학기 말에만 와서 기재하려고 요령을 핀다.' 라고 생각하시기 때문입니다.

- 합격 팁 : 상시관리의 필요성

학생부 종합전형은 동아리, 학교수행평가 등 세부능력 특기사항 활동, 교내 활동, 봉사활동, 진로활동 등 창의적 체험활동 등 도중에 꼼꼼히 확인할 것도 많고 상시적으로 관리하며 부족한 부분을 함께 탐구해야 최상의 결과를 얻습니다.

이 과정에서 신뢰와 꾸준한 관리가 필요합니다. 괜히 학부모님들이나 학생들이 노력, 시간, 비용을 투자하며 다년 동안 꾸준히 관리하는 것이 아닙니다. 학기 말에 그 때 그 때 임시방편으로 키워드 중심으로 넣으려고 하는 것과 꾸준히 관리한 것은 분명 차이가 납니다.

입시전문가로 경험해보니 장기간, 또 꾸준히 관리받는 것 자체로도 합격률에 정말 절대적인 영향을 미칩니다. 설령 나중에 정시로 가게 되어도 가능성을 위해 반드시 해야 합니다.

(3) 관리 및 컨설팅의 효율성

Q3. 나중에 정시로 갈 수도 있고 내신도 준비하는데 비교과(수시 학생부 종합) 준비는 시간 낭비 아닌가요?

A : 제대로 된 비교과 준비로 오히려 정시 자체가 필요 없을 수도 있고 정시, 내신 준비 시간을 단축해 줍니다.

대부분의 학생들이 학교생활기록부에 들어가는 활동 1가지를 하려고 혼자서 수십여 시간(대략 10~40시간)이상 정리를 합니다. 그렇게 노력하고도 해당 진로분야에서 비전문적이며, 조력이 부족한 상태에서 하기에 성과도 낮습니다. 저 같은 경우, 진로 지도학습에서 학생과 함께 2~3시간 내에 깔끔히 정리합니다. 미리 강의안을 정리하면서 학생의 생각을 구체화하고, 자료를 찾고, 정리하는 과정을 함께 돕고 목차 구성까지 완결성 있게 마치기 때문입니다.

그렇기 때문에 컨설팅과정을 진행한 학생들은 다른 학생들보다 비교과 활동의 전문성이 높고 통찰력이 스며있어 좋은 평가를 받습니다. 효율성을 추구하여 이렇게 동시에 아낀 시간으로 국어, 영어, 수학, 과학, 사회 등 교과내신에 본인들의 시간을 씁니다. 이것만으로도 1분 1초가 아까운 입시에서 상당히 유리해집니다.

- 합격사례 : 제대로 관리된 학교생활기록부의 위력

3학년 1학기부터 관리한 학생이 있었습니다. 나중에 합격한 후 학부모님께서 성공과정의 감사함을 표현해주시는 과정에서 이런 말씀도 해주셨습니다.

사실 학부모님께서 학교 선생님께 학교생활기록부 확인을 구할 때 '1, 2학년 때 학생과 3학년 때의 학생은 완전히 다른 학생 같다', '생활기록부 작성의 컨셉과 기술 그리고 잠재력 발전 과정이 놀랍다' 라는 평가를 들으셨다는데요. 그 외에도 교수인 지인분께도 보여주셨는데 극찬을 하셨다고 합니다.

이렇게 단 1학기, 그 중 마지막 학기인 고3 1학기 학교생활기록부는 굉장히 중요합니다. 반드시 확인, 관리 받으셔야 합니다.

이런 노력은 실전 입시에서의 성공으로 이어졌습니다. 원서를 쓸 때, 학교와 주변에도 사례가 없는 극상향지원이라 당초 확신이 없어 쉽게 결정하기 어려웠는데, 제가 '함께 노력한 학교생활기록부를 믿고 용기를 갖고 기회를 적절히 사용하라'고 조언드려 합격한 것이 고마우셨다고 합니다.

4. 원서 쓰기의 중요성

4. 원서쓰기의 중요성

- 학교생활기록부 평가 및 진단과정
- 학생부 종합을 반드시 수시 원서에 넣는 이유
- 학교인가 학과인가
- 내신 1등급 후반 ~ 5등급, 학종이 무조건 유리한 이유

앞의 과정과 좀 접근방법을 달리하여 주로 고3 학생들이 실제 원서를 쓸 때에 집중해서 글을 적었습니다. 내용이 미세하게 좀 다르기 때문에 고3, 예비고3 중심으로 이 챕터를 보시면 좋겠습니다.

학교생활기록부 평가 및 진단과정

대입 수험을 코앞에 둔 고3 수험생분들께서 당장 확인해 보실 내용입니다. 원서를 쓰기 전 학교생활기록부 진단과 평가과정이 반드시 필요하니 정독해 주시기 바랍니다.

(1) 학교생활기록부 진단의 어려움 : 불확실한 기준의 문제

지금까지 수백여 건의 학교생활기록부를 분석해 봤지만 특히 수험을 앞둔 시점에서 학교생활기록부를 분석하는 것은 학생의 지원전략과 직결되는 문제라서 어렵고 또 부담스러운 작업입니다.

학생부 종합전형의 서류평가가 정성평가이기에 학교생활기록부역시 일괄적으로 영어, 수학 과목점수 나오는 것처럼 90점, 100점등으로 정량화하기는 어렵습니다. 이는 지원 목표 학교들마다 평가항목도 다를 뿐더러 각 평가요소들마다 가중치가 다르기 때문입니다.

(2) 학교생활기록부 진단의 가능성 : 가능

앞서 말씀드린 것처럼 학교생활기록부 진단 자체가 정성적이어서 각각의 평가요소별 가중치와 학교별로 강조하는 역량이 각각다르기 때문에 딱 떨어지는 정량적인 분석은 어렵습니다. 하지만정성적 분석은 불가능한 것은 아닙니다.

좋은 수시 전문가는 입시를 경험하며 어떤 생활기록부가 경쟁력이 있고 없는지 확인하는 안목이 있으며 그에 따라 지원전략 및 면접 대비를 할 수 있는 노하우를 갖추고 있습니다. 잘 쓰여진 학교생활기록부는 학생들의 생기부 기재 항목, 진로에 대한 접근, 기재된 진로 주제 등이 차이가 나기 때문입니다.

어렵지만 충분히 진단 가능하며 저 같은 경우, 지원에 참고하실 수 있도록 최대한 객관적으로 상, 중, 하를 말씀드리면서 지원전략과 대비 방법을 말씀드립니다.

(3) 학교생활기록부 진단의 필요성 : 지원전략의 기본

반드시 필요한 이유는 대략적으로 나의 학교생활기록부가 다른 경쟁군의 친구들과 비교하여 어느 정도인지 알아야 지원 시 학생부 교과와 학생부 종합지원의 비중, 지원학교와 학과를 결정할 수 있기 때문입니다.

(4) 빠른 준비의 필요성 : 학생부 종합전형의 전초과정

고3의 경우 학교생활기록부 기재가 가을학기, 즉 2학기 시작 전 마무리 되고 본격적인 입시가 시작됩니다. 하지만 그것은 눈에 보이는 것이고, 이전에 이미 각각 학생부 교과, 학생부 종합, 수능 중

심의 전략을 가지고 있는 학생들이 각자 취할 수 있는 최선의 전략에 따라 분주하게 움직입니다.

고3의 경우, 7, 8월 달 전에도 1학기 학교생활기록부 기재 내용 등이 명시적인 공개는 안 하지만 확인 차원에서 알 수 있으므로 최대한 빨리 학교생활기록부 진단을 하고 수시 지원전략을 세워야 합니다. 그 이후 면접에서 어떤 항목을 중심으로 대비해야 할 지 그 답변, 답안을 구상할 수 있습니다. 특히 수능점수가 불안하거나 거의 손 놓은 학생들은 미리 수시 전략을 최선에 두고 빠르게 알아보셔야 합니다.

(5) 면접 준비의 기초

원서를 쓴 후 면접을 준비하는 것이 아닙니다. 이미 쓸 군의 학교가 2학년 즈음, 혹은 늦어도 3학년 1학기 말쯤 정해지기 때문에 상당히 많은 학생들이 이미 여름에는 학교생활기록부 마무리와 함께 면접을 서서히 준비합니다. 입시를 경험해보면 이렇게 빠르게 준비한 학생들의 합격률이 굉장히 높고 면접 준비 기간에 비례하여 합격확률이 급격히 높아집니다.

- 합격사례 : 원서를 위한 정확한 진단, 판단의 어려움

의료, 법, 교육 등 삶에서 중요한 분기점이 되는 일에 부딪히면 혼자서 해결하려 하면 안 됩니다. 좋은 전문가를 만나 쟁점과 옵션을 확인하고 현 상태를 확인하고 과감히 시간이나 비용 등을 계획하고 투자하며 실천하여 운명을 개척해야 합니다.

지금도 생각나는 합격 사례가 있습니다. 원서를 쓸 때 학교 상담을 받으시고 학부모님과 학생이 정말 서럽게 울면서 밤 11시 늦은 시간 연락을 해주셨는데요. 내신이 안 좋아서 학교에서는 원서낭비, 돈낭비라면서 크게 질책하며 원서 쓰지 말라고 하고, 학부모님과 학생은 인서울 학교, 원하는 학과에 가고 싶어 속상해 하셨습니다. 우시면서 '정녕 헛된 욕심이냐'고 물어보셨는데요.

'학생부 종합은 결국 소신지원을 위해 쓰는 것이며 그 간 함께 관리된 학교생활기록부 작성이 너무 좋고 이를 통해 실제 면접과정에서 역량을 어필하면 합격가능성이 있다' 라고 안심시켜 드렸습니다.

결국 그렇게 준비하고 써내어 누가 봐도 무리이던 서울권 학교, 원하는 학과에 합격하였습니다. 내신 컷에서는 열세였으나 학교생활기록부 관리, 면접 등이 잘 준비되었기에, 그 외에도 다른 4년제 인서울대학들도 장학금을 받으며 모조리 최초합격 등으로 붙었습니다. 스스로도 터무니없다는 듯이 울며 웃으며 합격을 전하던 학생 목소리가 지금도 생생합니다.

학생부 종합을 반드시 수시 원서에 넣는 이유

수시 전형 원서를 쓸 때, 학생부 종합을 반드시 쓸 이유가 당연히 생깁니다. 이것에 관해 말씀드려 보겠습니다.

(1) 학생부 교과 등급의 어려움

막상 원서를 써보면 학교 교과 내신으로 들어가는 학생부 교과 전형이 예상외로 쉽지 않은 것을 알게 됩니다. 자사고, 외고, 특목고, 국제고 학생들 뿐만 아니라 일반고 학생들도 수시에서 정성평가이므로 유리해지기 위해 각 교과마다 진심으로 열심히 하는 학생들이 있습니다.

이런 상황에서 좋은 등급을 각 과목마다 유지하기 쉽지 않습니다. 과목별 편차가 있기 때문에 실제로 일반고 평균 90점대 중반일 경우에도, 학교에 따라 과목별로 2, 3등급인 경우가 많습니다. 그러므로 상당히 잘하는 학생들도 내신 성적으로는 1등급 후반에서 2등급 초중반, 거기다 좀 열심히 했던 학생들도 3등급, 4등급이 될 가능성이 큽니다.

이렇게 되면 실제 학생부 교과에서 경쟁력을 갖추기 힘들고 원하는 지원 학교, 학과를 쓰지 못합니다. 이러면 내신 컷에서 가능성이 보이는 학생부 종합전형에 눈을 돌리게 됩니다.

(2) 학생부 종합 내신 컷의 유리함

이는 학생부 교과와 종합의 내신 컷 차이에 따른 것입니다. 원하는 학교는 학생부 교과는 어려워도 학생부 종합은 평균점을 넘거나 최소 최저점을 상회하기 때문에 당연히 들어갈 수 있을 것 같고 욕심이 생깁니다.

학교생활 과정에서 어느 정도 진로관련 기재된 내용이 있기에 긍정적인 희망 하에 그냥 쓰게 됩니다. 다만, 미리 준비를 한 학생은 이 희망이 현실화되어 합격 가능성이 높지만 미리 준비를 안할 경우 합격 가능성이 작기에 유의해야 합니다.

- 합격사례 : 재수, 삼수, N수생과 학생부 종합지원

재수, 삼수, N수생 학생들과 학부모님들께서 '지난 년도에 이미 평가를 받았는데, 학생부 종합전형에서 전망이 있을까' 하는 의문과 질문을 많이 해주십니다. 제 답은 '관리가 어느 정도 되어 있다면 과감히 도전해보시라.'는 것입니다.

과거 학생부 종합전형에 응시도 못하던 때가 있었지만 현재 대부분의 학교에서 응시가 가능하며 매년 입시현장에서 보면 상당히 높은 합격률로 합격하고 있습니다.

그래서 당초 정시를 생각해서 공부하다가 심기일전하여 원서를 잘 쓰고 면접 준비를 잘하여 좋은 학교에 합격하는 사례가 예상외로 굉장히 많습니다.

자기소개서도 없으니 관련 학과로 지원하고 면접에서 학교생활기록부를 전공적합성과 전공역량 중심으로 잘 표현하는 방향으로 준비하면 좋은 결과를 얻을 수 있습니다.

- 합격 팁 : 학생부 종합 합격에 유리한 학교

학생부 교과전형은 정량평가, 줄세우기이기에 최상위권 학교에서 그 이점을 많이 가져가지만 학생부 종합전형은 학생들의 잠재력, 가능성을 많이 보기에 실제 선발에서 인서울 상, 중위권 학교에서 많이 활용합니다. 적극적인 준비를 할 경우, 상중위권 대학합격에 굉장히 유리해집니다.

학교인가 학과인가

원서를 쓰면서 학교와 학과를 고민하다보면 선택과정에서 변수가 생깁니다.

(1) 학교와 학과 선택의 딜레마

	대학,학과선택	상황
경우1	소신목표대학 목표학과	내신열세
경우2	*소신목표대학 인접학과*	*내신충족/비교과유사*
경우3	안정대학 목표학과	내신충족/비교과일치
경우4	안정대학 인접학과	

당연히 본인이 원하는 대학교, 전공 목표학과와 딱 맞게 쓰면 좋겠지만, 그것이 내신 컷상으로 조금 버거울 때, 목표대학의 전공 관련학과가 내신 컷상의 점수보다 상회하거나 경쟁률에서 유리하면 고민이 생기게 됩니다.

학생부 종합전형에서는 원칙적으로는 당연히 학과 중심으로 선택해야 하지만 때론 잘 살피면 학교를 기준으로 인접학과를 써서 합격한 사례도 많기에 학생 혼자 결정하기 힘듭니다.

(2) 결정은 어려운 문제 : 전문가의 도움 필요

　정밀한 분석이 필요하며 합격과 불합격한 사례가 고루 있기에 학생, 학부모님들께서 바로 정하기 어려운 문제이고 좋은 조언이 필요합니다.

　이 때 내신 컷이 절대적이지 않습니다. 학교생활기록부의 비교과 내용이 핵심이며 반드시 내신 컷 점수가 유리하다고 해서 합격에 유리한 것은 아니라는 것입니다.

　'학생의 비교과 활동중에서 인접학과와 관련된 활동내용이 있는지', '학생의 학교생활기록부의 내용과 학과의 학과커리큘럼이 일치하는지'가 판단을 위한 좋은 기준입니다.

- 합격사례 : 목표 대학의 인접학과를 쓸 수 있을 때

우리 학생은 전기전자공학과에 지원하려고 학교생활기록부를 맞춘 학생인데, 좀 더 유리한 경쟁률과 내신 컷으로 응시하려고 분석, 의뢰했던 학생입니다. 극소신 지원대학을 쓰고 싶어했고 관련학과 중에서 전파정보통신계열의 학과를 추천드렸습니다. 학생의 학교생활기록부를 마무리할 때 정리한 주파수 관련 주제확장컨셉이 도움 및 참고가 되었는데요. 이런 전략으로 극소신지원 대학은 전파정보계열학과로, 안정소신지원 대학은 전기전자전공학과로 모두 합격하게 되었습니다. 이렇게 학교생활기록부에 기재된 주제 학습 몇 개로 합격 확률을 극적으로 높일 수 있습니다.

이어서 저와 함께 수시 재수에 성공한 학생의 사례도 있습니다. 내신 컷도 좋고 학생부 비교과 기술도 좋았기에 생활기록부 분석을 하면서도 '왜 고3 때 떨어졌는지' 의문이 들었습니다. 이야기를 들어보니 소신 대학의 인접학과에 썼다가 떨어졌다고 했는데요. 뜯어보니 이 학생이 인접학과라고 생각했던 곳은 전공목표학과와 학과명은 유사했지만 커리큘럼상 다른 곳이었으며 학생의 학교생활기록부에도 해당 학과진로와 관련된 활동 또한 기재되지 않은 곳이었습니다. 떨어진 제1의 원인으로 지목했고 저의 지도를 참고하여 관련과를 쓰고 면접 등 함께 많은 시간을 준비하여 원하는 학교, 학과에 합격하였습니다.

내신 1등급 후반~ 5등급, 학종이 무조건 유리한 이유

왜 내신 1등급 후반~ 5등급 학생들이 수시 학생부 종합전형을 준비하는 것이 유리하고 최적인 지를 주제로 말씀드려보겠습니다.

(1) 왜 내신 1등급 후반 ~5등급 사이가 중요한가?

고3이 되면 학생부 교과와 학생부 종합사이에서 지원이 굉장히 애매해지는 내신 등급컷 대입니다.

학생부 교과 전형에서 인서울대학교 라인 주요 학교, 학과의 경우 1점대 초반~ 2점대 초중반을 형성하고 있기 때문에 이 등급대의 학생들은 굉장히 애매해지게 됩니다. 학생부 종합전형에서는 내신 1등급대 후반~ 5등급이라도 비교과만 잘 갖추면 최상위권, 인서울대학교 라인 주요 학교, 학과의 합격을 꾀할 수 있기 때문입니다.

(2) 결국 대부분의 학생들이 학생부 종합을 씁니다.

즉, 고3이 되어 수시 6번의 기회를 받고 학생부 교과를 쓰자니 인서울 라인도 위태롭고, 맞추자니 하향지원이라 의욕이 나지 않습니다. 게다가 대부분 수시 학생부 종합보다 정시 점수대가 미치지 못하는 경우가 많아 초조합니다.

그래서 대부분의 학생이 목표하는 학교, 학과를 위해 학생부 종합을 쓰게 됩니다.

하지만 앞서 말씀드린 것처럼 고1, 고2 때부터 체계적으로 준비한 학생, 고3 2학기 때 조금이라도 준비한 학생, 아예 혼자서 준비한 학생, 학교에서 흐름에 맡겨 최소로 준비한 학생 모두 준비과정에 따라 각기 결과가 다릅니다.

(3) 학생부 종합은 좋은 학교에 합격하는 전형이며 전략입니다.

수시 6개 학교는 수시 우선 선발규정(수시에서 일단 합격하면 정시지원불가)이 있기 때문에 소신지원하는 경향이 있습니다. 만일 정시 점수가 수시보다 월등하게 높게 나온다면 지원할 필요가 없고 지원해서도 안 되기에 예상되는 최대치를 수시에서 쓰는 것입니다.

그렇기 때문에 학생부 종합전형은 소신지원으로 넣으며 그래서 학생부 종합전형은 본인 잠재능력의 최대치를 낼 수 있는 최선의 학교에 합격하곤 합니다. 물론 학생부 종합전형이 워낙 도깨비 전형이고 정성평가이므로 합격과 불합격을 미리 예단하긴 어렵습니다. 그러나 적혀진 학교생활기록부는 정성적이지만 평가 가능하므로 충분히 노력하여 지원한다면 안정적으로 좋은 결과를 얻어낼 수 있습니다.

(4) 학생부 종합전형을 제대로 준비하는 학생은 드뭅니다.

실제 학생부 종합전형을 제대로 준비하면 굉장히 좋은 결과를 얻을 수 있습니다. 하지만 문제는 학생부 종합전형을 옆에서 도와줄 사람이 없다는 것입니다.

구조적으로 학생부 종합전형은 진로 매칭, 학생부 교과전형과 정시는 과목 매칭입니다. 현 중학교, 고등학교, 각종 학원의 선생님

및 교과는 모두 과목 매칭이기에 현행 주요 교육기관인 학교와 학원에서 준비하기 어렵습니다.

수시컨설팅, 비교과 컨설팅이 입시시장에서 상대적으로 단위시간으로는 고가이고 또 경쟁력을 갖고 있는 이유는 맞춤식 지도외에도 해당 분야에 특화된 전문가를 찾기 어렵고 위와 같은 이유로 준비가 어려운 것에 큰 이유가 있습니다.

물론 이런 사정이기에 반대로 다른 이들이 준비하지 못하고 내가 준비한다면 그 경쟁우위는 말로 표현하기 어려울 정도로 현격하게 벌어지고 차이가 날 수 밖에 없습니다.

(5) 우리의 준비현실 : 가장 최상의 선택

1) 현재 준비패턴 : 레드오션

대입 인서울학교기준, 각 20프로 비중으로 뽑는 정시 수능을 준비하고, 약 40프로 비중으로 뽑는 수시 학생부 교과를 준비하려고 국어, 영어, 수학, 사회, 과학학원에 다니고 많은 시간과 비용을 투자합니다. 그러면서 비슷하게 준비하는 친구들과 과목별로 경쟁하고 재수, 삼수, n수생들과 치열하게 경쟁합니다.

2) 앞선 준비패턴 : 블루오션

그런데 약 40프로를 뽑는 학생부 종합전형은 해당 진로에 대해 전공한 적도, 제대로 준비할 시간도 없는 학생에게 대부분 그대로 맡깁니다.

만일 적절한 준비가 가능하다면 당연히 후자를 선택해야 합니다! 단지 기존의 커리큘럼대로, 학교나 학원의 흐름대로 맡겨만 두면 수시 학생부 교과와 정시 수능이라는 선택지를 택하게 되고 힘든 경쟁에 놓이게 됩니다.

삶에서 또 각종 사건, 사고에 임해서 우리는 자녀에게 스스로 좋은 판단력을 가지고 재빠르게 상황을 파악하여 기민하게 움직이라 합니다. 그러면서 불필요한 권위나 다른 이의 상황판단에 의존하지 않고 직관과 상황판단을 믿고 위험은 피하고 기회는 잡으라 합니다. 하지만 삶에서 가장 중요한 과정 중 하나인 입시에서는 그렇게 하고 있지 못합니다.

앞서 말씀드린 것처럼 이 등급대라면 학생부 종합전형 준비 및 학교생활기록부의 기재과정에서 노력의 필요성과 효용은 굉장히 명확합니다. 좋은 판단력과 실행력이 필요합니다.

- 합격사례 : 소신 지원이 가능할 때

우리 학부모님들과 학생들은 고3시기에 무수히 많은 선택 상황에 놓이게 됩니다. 우리 학생은 1학기 기말시험에서 예상외로 성적이 잘 나오지 않아 매우 불안해하였고, 또 수시 지원대학을 선정할 때 소신, 안정, 하향 지원을 할지 고민이 많으셨습니다.

원래 학교 결정은 학생과 학부모님께 일임하지만, 정하신 학교 모두 심리적 위축으로 안정, 하향 지원 경향이 너무 강하게 있어 경험으로 조언드렸습니다.

다년간의 입시 경험으로 볼 때, 내신 컷에 여유가 있었고 제 지도를 통해 제대로 관리된 학교생활기록부여서 다수 소신 지원학교에도 합격가능성이 높다는 점, 현재 위축되어 안정, 하향 지원할 경우 합격하더라도 나중에 기대에 못 미쳐서 재수, 삼수하는 경우도 많은 점을 말씀드렸습니다.

그리고 '생활기록부가 완벽하니 정 불안하면 안정적 하향을 더 쓰되, 나머지 몇 곳은 자신있게 내신 컷이 허용하는 한 소신껏 상향지원하시라.'하고 확신을 드렸습니다. 그래서 하향 지원을 고민하시던 수시 기회 1번을 상향에 추가하여 결국 합격하였습니다.

5. 면접 준비

5. 면접 준비

- 대입면접의 의미와 준비
- 면접문항의 종류
- 창체사항 면접질의
- 세특사항 면접질의

- 학생부 교과면접 준비여부
- 학생부 종합면접 준비시기와 방법
- 학교생활기록부 전공과 지원학과가 다를 때
- 학생부 종합 면접 준비의 핵심 팁
- 앞으로의 학생부 종합전형 준비와 면접 경향

대입 면접의 의미와 준비

(1) 대입 면접의 의미 이해

학교생활기록부 등의 서류를 기반으로 하는 서류기반 대입면접의 목적은 크게 2가지입니다.

우선 학교생활기록부의 진실성 판단과 실제 역량을 갖추었는지 학교생활기록부를 보충적으로 판단하는 것입니다. 과거 자기소개서가 있을 때는 각 학생이 작성하는 자기소개서가 일종의 기준타의 역할을 하면서 면접의 중심을 이끌어 왔는데, 2025학년도 현재는 자기소개서가 폐지되면서 학교생활기록부 자체가 기준의 역할을 하게 되었습니다.

그래서 학교생활기록부를 좀 더 정밀하게 뜯어 봐야 합니다.

1) 학교생활기록부 진실성 파악

학교생활기록부에 기재된 내용의 진실성을 소명, 설명할 수 있어야 합니다. 학교생활기록부가 입시에서 전적으로 중요해졌기에 그 신뢰성은 절대적이어야 하며, 이에 대해서 기본적인 사항 확인이 중요해졌습니다.

즉, 과거 학교생활기록부보다 현재의 학교생활기록부는 소명, 설명의 기능을 더 강화해야 하는 것입니다. 실제 2024학년도 주요 대학의 면접 문제 중 상당수가 학교생활기록부 기재사항을 정밀하게 묻는 문제로 구성되어서 이런 예상을 뒷받침하게 되었습니다.

2) 학교생활기록부 보충적 판단

학교생활기록부를 보충적으로 판단하며 전체역량을 묻는 경향이 짙어졌습니다. 즉 진로 부분에 좀 더 집중하며 학교생활기록부의 내용을 파악하고 가진 바 실질적인 능력을 보이라는 형태가 강화된 것입니다.

더 정밀하고 확장적으로 준비해야 하며, 동일한 학교생활기록부에 대해서 텍스트를 넘어 확장적인 면접 질의, 답변이 가능해졌기에 혼자서 준비하는 것보다는 전문가와 준비하는 것이 한층 더 유리해졌습니다.

3) 인재로의 종합적 가치 표현

대입 면접은 앞서 말씀드린 것처럼 학교생활기록부의 내용을 잘 설명하고 확장적으로 진로노력을 드러낼 뿐만 아니라 말을 하며 자신감, 인성, 삶에 대한 철학 등 자신의 인재로의 종합적 가치를 드러내는 과정으로 이해해야 합니다. 그렇기 때문에 철저한 준비와 노력이 필요합니다.

(2) 대입면접 준비

   대입 면접은 학교생활기록부에 있는 활동을 설명하고 지난 고교 3년의 기간을 어떻게 보냈는지, 얼마나 성장했고 앞으로 어떻게 성장할 지 표현하는 활동입니다.

   더불어 '자기 자신'을 말로써 설명하여 '나'란 사람에 대해서 지적인 면과 인간적인 면을 동시에 드러낼 수 있어야 합니다.

   문제는 우리 학생들이 이런 방식의 면접을 준비해 본 적이 없다는 점입니다. 물론 토론과 일상 속 대화는 했겠지만 자신의 생각을 적절하게 표현하는 과정은 공부한 적이 없습니다. 학교 선생님이나 친구들이 옆에서 도와줄 수는 있지만 내용이나 구성 확인이 안되므로 제대로 된 면접준비는 안 됩니다.

- 합격 팁 : 자기소개서 폐지 영향

지금은 사라졌지만 자기소개서는 불명확한 학교생활기록부의 방향을 구체화하거나 학교생활기록부에서 다 적지 못했던 주요 사항을 학생들의 입장에서 서술한 글입니다. 학생들의 자기소개서는 함께 꼼꼼하게 첨삭, 검토되었으며 좋은 화두를 던지고 학생이 전반적으로 어떤 목표성을 지니고 노력해왔는지 표현하려 애썼습니다. 특히 학생이 가령 국제, 정치 분야와 법학분야로 학교, 학과를 달리하여 지원할 경우, 각각 학교, 학과에 따른 자기소개서를 따로 준비하여 구체적인 학교, 학과 접근도를 높였습니다.

하지만 2024학년도부터 자기소개서가 폐지되었습니다. 당연히 이 부분에서 표현 못하는 부분은 학교생활기록부와 면접에 반영될 수밖에 없고 입시는 학교생활기록부를 더 미리, 철저하게 준비하는 것과 면접을 통해서 각기 제대로 설명하는 형태가 강조되어야 합니다.

면접 문항 종류

(1) 서류기반 면접질문 대비 : 학교생활기록부 철저분석

개별질문에 대비하기 위해 학교생활기록부를 철저히 확인하고 분석해야 합니다. 여기에 더해 어떻게 각 질문별로 시간을 배분하고 말할 지 구상하고 연습해야 합니다.

학생들 대부분이 대답의 포인트와 구체화 방법에 대해서 본격적으로 배워본 경험이 없기 때문에, 짧은 시간이라도 반드시 확인하고 대비해야 합니다.

적절한 시간에 구체적이고 설득력있는 대답을 하는 법을 체계적으로 연습해야 합니다.

(2) 제시문 문항 대비 : 일부 대학교, 답변의 구성방법 학습

공통 질문은 반드시 정답이 있는 경우보다는 '어떻게 본인의 주장을 적절한 논거를 통해 설명하는가 하는 것'에 초점이 있습니다.

기출문제 등을 분석해보면 정해진 답은 없지만 적절한 답과 도출하는 법은 존재합니다.

각 학교들마다 유형이 다르며 과학토론, 사회토론에 관한 글 등이 유용합니다. 특히 실존과 본질, 효율성과 공평성, 인식론과 제도론, 개인, 조직, 국가 차원 등 이분법 혹은 프레임을 나누는 훈련을 하면 크게 도움이 되며 자료 해석, 통계적 부분의 지식도 도움이 됩니다. 단, 제시문 문항이 있는 면접은 그 자체로 사교육 유발효과가 있다고 판단될 수 있기에 앞으로 줄어들 가능성이 매우 높습니다.

창체사항 면접 질의

  창의적 체험활동은 자율활동, 동아리활동, 봉사활동, 진로활동으로 구성됩니다.

  자율활동은 주로 학교, 학급의 활동사항을 많이 기술하는데, 과정에서의 학급자치회장이나 기타 환경미화부, 미디어부 등 부활동 기록, 문화관련 행사, 체육 행사 등이 주로 기술되어 있습니다. 공동체 활동을 어떻게 했는지를 묻는 경우가 많습니다.

  동아리 활동은 동아리 활동과정의 문제해결과정, 수행한 프로젝트에 관해 묻습니다. 기장, 부기장 등 역할보다는 조원일지라도 어떤 식으로 동아리에서 기여를 했고 어떤 부분의 연구 등을 했는지 구체적으로 이야기하는 것이 중요합니다.

  봉사활동은 코로나 19 이후로 많이 형식화되었습니다. 단, 앞으로 인성부분이 강조되면 관련된 활동이 필요할 수도 있지만 현재 크게 의미 있지는 않습니다. 공동체 활동, 의식과 연결하면 좋습니다.

진로활동은 진로와 관련된 활동을 적는 것입니다. 학교, 학생에 따라서 활용도도 다릅니다. 진로주제, 진로키워드 위주로 적혀야 정성평가에서도 득이 되고 면접에서도 좋은 질문을 받을 수 있습니다.

제가 창의적 체험활동에 있어서 조언드리고 싶은 것은 '관련활동을 모두 자기 경험화해보라' 는 것입니다. 학교생활기록부에 구체화되어 쓰여졌다면 좋겠지만 그렇지 않다고 해도 면접에서의 답은 구체화된 자신의 이야기를 해야 합니다.

- 합격 팁 : 학교생활기록부 재기억

우리 학생들을 지도해보면 현재 고3 학생도 마찬가지지만 졸업한 지 시간이 좀 지난 재수생과 삼수생, N수생의 경우 과거의 생활기록부 활동에 대한 기억이 완전하지 않은 경우가 많습니다. 특히 누구나 고1 때의 기억은 굉장히 부정확하고 불안합니다. 그래서 학교생활기록부를 다시 재기억해서 복원해야 합니다.

최대한 기억을 복원하고 본인의 진로희망에 맞춰 과거의 다양한 활동을 다시 해석, 설명할 수 있어야 합니다. 이런 노력을 통해 내용 역시 한층 더 심화, 발전시켜서 진학 후 제대로 학교, 전공에 적응할 수 있음을 보여야 합니다.

세특사항 면접 질의

2024학년도 모집요강 등을 통해서 대부분의 수시 모집 대학에서 강조되던 경향인데, 실제 올해 면접 기출에서도 확인되고 있습니다.

자기소개서가 폐지되고 학교생활기록부와 면접의 비중이 높아지면서 더욱 강조되고 있습니다. 즉, 학교생활기록부의 진실성 여부가 중요해진 만큼 학교생활기록부 활동에서 입학사정관님, 교수님이 규명할 수 있는 것을 규명하고 과정에서 활동의 질을 정확하게 파악한다는 것입니다.

이과의 경우 전공분야와 연결된 part나 물리학, 화학, 지구과학, 생명과학 등 기초순수과학분야는 당연히 교수님, 입학사정관님은 다 아시는 내용이므로 관련 내용들을 숙지하고 계십니다.(문과, 사회, 국제계열 역시 각종 사회 등 관련과목에서 마찬가지입니다.)

고교 학교생활기록부에 적혀 있어도 교과 자체라면 질의를 안하지만, 교과가 진로분야와 연관이 있다면 내용에 관한 부분도 확인, 평가가 가능한 것입니다. 그러므로 수시 학생부 종합전형에서는 이 부분은 반드시 챙겨야 합니다.

학생부 교과면접 준비여부

자주 물어봐 주시는 질문 중심으로 말씀드려보겠습니다. 교과면접의 경우 질의사항이 상대적으로 간단하기에 준비여부에 관한 질의가 많으신데요.

저는 '오히려 더 제대로 준비해야 한다' 라고 생각합니다.

실제 입시결과표상 공개된 자료의 교과서류와 교과면접 간의 점수컷을 분석해보면 분명히 교과전형에 면접이 있을 경우, 교과전형에서 내신만 반영하는 경우보다 편차가 더 크게 생겨납니다. 이는 교과 면접과정에서도 실제 평가가 이뤄지며, 상당한 변별이 생긴다는 것이고 혹 배수가 많고 교과 전형의 과목별 편차지(등급간 점수차)가 적을 경우 면접이 합격에 굉장히 결정적인 영향을 좌우할 수도 있다는 것을 의미합니다.

과거 제시문 면접의 형태나 시사이슈 면접도 행해졌지만 지금은 사교육 유발요소가 있어서 그런 방식을 지양하고 간략화되어 과소평가 되고 있지만 실제 입시에서는 그렇지 않습니다.

교과 면접은 '교과성적을 보되, 관련된 전공에 대해서 관심이 많고 노력이 조금이라도 된 학생을 뽑는다.'는 것이 전형목적임을 이해해야 합니다.

게다가 교과면접을 운용하는 학교의 경우 학생부 종합전형이 없는 경우도 많기에 실제는 학생부 종합의 비교과 항목 확인처럼 이뤄지는 경우도 많습니다.

그렇기 때문에 교과면접도 체계적으로 준비해야 합니다. 교과면접은 '질문은 가볍고 평이하지만 학생에 따라 답은 심오할 수 있다'라는 것을 기억하셔야 합니다.

학생부 종합면접 준비시기와 방법

(1) 면접 준비 시기 : 미리 OR 1차 서류 합격이후

대부분 면접이 있는 학생부 종합 전형의 경우 다단계 전형으로 1차 서류에서 3~5배수 정도를 뽑게 됩니다.

주요Q&A: 미리 준비를 할 지, 1차서류를 합격을 하고 준비를 할 지 고민이 됩니다.

답변: 합격발표 1, 2달 전에 미리 준비를 하는 것이 굉장히 유리합니다.

미리 준비를 할 경우, 만일 1차 서류도 안 될 때는 시간과 비용 낭비만 한다고 생각할 수도 있지만 결국 '입시'라는 것 자체, '교육 투자'라는 것 자체가 '기회가 주어지는 순간 잡기 위해 준비하는 것이 본질' 임을 항상 기억하셔야 합니다.

수능을 아무리 준비해도 수능날 실수하거나 컨디션이 안 좋으면 제 기량이 안 나오거나 실패할 수 있습니다. 하지만 '그 날 몸이 안 좋을 수 있으니 공부를 안한다.'는 말이 합리적이지 않듯이, 수시 면접 준비에서도 실패할 수 있는 결과를 미리 상정하고 준비 자체를 소극적으로 한다는 것은 앞뒤가 맞지 않습니다.

수시 학생부 종합 다단계 전형의 경우, 1차 서류합격 이후 빠르면 2-3일, 아무리 늦어도 1주일 정도 이후에는 면접시험을 치르게 됩니다.

대입 면접은 대답하는 답변의 질도 중요합니다. 하지만 그것을 적절한 시간 내에 말할 정도로 편집하여 답변 길이를 정리, 조정하고, 실제 제대로 말하는 것도 굉장히 중요합니다. 그런데 이런 것들을 다 준비하자니 이 시간이 충분하지 않습니다.

경매에서 가장 높은 값을 치르는 사람이 낙찰되듯이 당연히 입시에 있어서도 그 시험에 있어서 시간이나 비용, 노력이 더 많이 투입된 사람이 유리할 수 밖에 없습니다.

그렇기 때문에 미리 준비하여 다른 이들이 '할지 말지' 고민하고 있을 시간에, 준비에 착수하여 내용을 더 보완할 수 있는 방법을 고민하는 것이 훨씬 유리합니다. 실제 시험결과에서도 굉장히 크게 차이가 납니다.

(2) 면접준비방식 : 집단면접 준비 OR 일대일 면접준비

정답이 정해져 있거나 필기시험 같은 경우는 함께, 집단으로 준비하는 것도 괜찮습니다. 하지만 수시 학생부 종합시험의 면접방식에서 함께 준비하는 것은 좋지 않습니다. 최고의 효과를 내고 제대로 준비하기 위해서 일대일 면접이 최상입니다.

입학사정관님과 교수님의 질문에 대해, 지원학교에서 생각하는 진로 적합성과 개인의 진로노력이 연결하여 답해야 하는데 이 연결이 다른 친구들과 함께 준비하는 것으로는 채워지지 않기 때문입니다.

학생, 지원자 개인의 경험으로 전환되고 그것을 설득력 있게 설명해야 하는데, 일대일 방식의 면접준비와 치밀한 답구성으로만 가능합니다.

(3) 종합 : 입시는 가능성이 좁아지는 과정.

우린 입시에서 지금 이 순간 할 수 있는 것을 찾아야 합니다.

입시와 교육은 자신의 '미래를 열어가는 과정'인 것은 맞지만, 평가의 순간이 정해진 상태에서 저는 굉장히 역설적으로 동시에 '미래가 닫혀가는 과정'이라 생각합니다. 입시와 교육은 '불확실성이 해소되어 가능성은 좁아지고 확정되는 부분은 넓어지는 과정'인 것입니다.

나중에 준비할수록, 점점 우리가 선택할 수 있는 옵션은 적어집니다. 원서를 쓰는 학생, 학부모님들께서는 시간이 지날수록 이것을 충분히 실감하게 됩니다.

고2, 고3 때 준비하는 학생은 학교생활기록부 자체를 정리할 수 있지만, 원서를 쓰고 나면 이제 선택은

- 면접을 준비할지 말지 //
- 미리 준비할 지 1차 합격후 생각할지 //
- 1차 합격 후 준비할지 말지 // 등 3가지 정도입니다.

입시현장에서 보면 이 각각의 선택지에서 어떤 선택을 하느냐에 따라서도 합격여부가 크게 바뀝니다. 부디 이 글을 보는 분들은 미리 준비하여 현명한 선택, 좋은 선택하시기 바랍니다.

- 합격 팁 : 면접 파트너와 준비 시간의 중요성

　면접 관련 컨설팅업체들이 제시하는 대비 시간은 다 다릅니다. 상당히 많은 컨설팅 업체에서 2~4시간 제시하기도 하는데 그런 경우 수업 진행은 학생들을 모아서 레크레이션 같이 주의사항과 답변요령 중심으로 지도를 하고, 학생들의 학교생활기록부 키워드에 맞춰 개별적으로 문항을 내주고 그것을 연습시킵니다. 이 때 답변의 태도, 유창함 등만 보고 답의 내용에 대해서 고민은 안 해줍니다.

　준비 시간도 부족하고 답의 실질도 채울 수 없이 단지 면접이 급한 학생들을 얼마간 교육상품을 만들어 교육하고 시험을 보게 하는 것입니다.

　짧게 과정을 끝낼 수는 있지만 제대로 된 준비는 안 됩니다. 입시 면접을 준비해보면 전문성이 높아 '누구와, 얼마만큼 했느냐'가 굉장히 중요한데, 둘 다 잘못 꿰어진 것입니다.

　좋은 지도 컨설턴트는 의도를 갖고 질의할 수 있고 답의 허실을 바로 파악할 수 있으며 무엇보다 반드시 학생의 답에 대해서 공박할 수 있는 실력자여야 합니다. 실전에서도 그 느슨한 틈을 교수님과 입시사정관 역시 공략하기 때문입니다.

　또 학습에 있어 시간의 이점은 정말 솔직하게 나오는 합격 핵심결정 요소이기에 준비 시간에 따라 합격률은 현격히 차이가 납니다. 인서울권 목표대학, 목표학과, 전형 특성에 따라 준비와 정리에 필요한 최소한의 면접 시간이 있습니다.

학교생활기록부 전공과 지원학과가 다를 때

학교생활기록부에서 의도한 전공과 지원학과가 다를 때 어떻게 답해야 할까 의문이 듭니다.

(1) 학교생활기록부와 지원학과 진로 목표의 일치화

학교생활기록부에 쓰여진 목표와 지원학과의 진로가 완전히 일치하지 않을 때도 서류 1단계에서 합격하는 경우가 있는데요. 이때 기존의 학교생활기록부 흐름을 따를 것인지, 지원학과의 흐름에 따라 설명할 지 고민을 많이 하십니다.

정답은 '과거의 목표진로와 현재의 지원진로 두 개를 연결하는 것' 입니다.

이 문제는 굉장히 높은 확률로 나옵니다. 대학당국에서는 학교생활기록부를 굉장히 자세히, 또 치밀하게 분석, 파악합니다. 이에 '왜 학교생활기록부에서는 00학과가 목표였는데 XX학과를 지원하게 되었는가?'라는 근본적인 물음에 답을 해내야 하는 것이죠.

이건 진로과정을 '직업' 그 자체가 아닌, 진로의 방향에 따라 다양한 가능성을 지니며, 발전, 변화 할 수 있다고 보는 '진로발전', 혹은 '진로 로드맵'으로 봐야 해결이 됩니다.

과거 자신의 노력을 100프로 없애고 부정하여 지원학과에 맞추지 말고 자연스럽게 연결해야 하는 것입니다. 이 문제는 이걸 공통적으로 구성하는 아이디어와 실제 활동연결이 매우 중요합니다.

이런 경우 고민하여 다양한 연결 노하우가 있는 전문 입시컨설턴트나 주변인의 도움을 받으면 한 번에 문제가 해결되며 굉장히 유리해집니다.

학생부 종합 면접 준비 핵심 팁

(1) 철저한 학교생활기록부 분석

　대입 면접에서 가장 중요한 대비 포인트입니다. 면접에서는 질문을 통해 학생들의 고교생활 과정에서의 자기주도 학습역량, 진로역량, 공동체 역량 등을 평가합니다. 그렇기 때문에 학교생활기록부를 좀 더 객관적인 시각에서 보고 그것을 중심으로 문항지를 만들어 답을 구성해 봐야 합니다.

　가급적 내용이 풍성해지도록 노력해야 하며 관련 활동을 제대로 설명하고 있는지 확인하는 과정이 필요합니다. 철저한 분석을 통해 구체화, 확장, 연계 등의 과정을 고려해서 질의와 답변을 구성해야 합니다.

(2) 고교 생활의 총정리

　고등학교 때의 경험이 결국 판단의 기반이 되므로 당시의 생활 자체를 잘 정리할 필요가 있습니다. 특히 학교생활기록부의 교과활동, 비교과활동, 봉사, 진로관련 탐색 등 관련 항목 중심으로 고등학교 3학년까지의 과정을 잘 정리해 봐야 합니다.

실제 준비할 때 보면, 오래 되거나 혹은 학교생활기록부와 실제 활동이 조금 차이가 있어서 답을 못하거나 당황하는 경우가 많습니다. 또 3년 간의 활동이 워낙 광범위하기에 미리 정리를 하지 않으면 갑작스러운 질문에 대처하지 못할 수 있으니 미리 질문을 생각하고 준비해야 합니다.

(3) 답변 구성의 중요성

내용을 잘 정리하더라도 대부분의 학생들이 표현에 미숙한 면이 많습니다. 이것은 그 간의 스피치 경험, 학생들의 성격에 의해 결정되는 면이 있어 일반적인 방법으로는 단기간에 개선되기 어렵습니다.

하지만 일정한 답변 패턴을 지도하고 그에 맞춰서 학생 스스로 본인의 경험을 답으로 만드는 법을 안다면 단기간에도 기량이 급성장해 훨씬 좋은 내용과 표현으로 답할 수 있습니다. 답변 구성의 프레임을 짜고 그것에 맞게 연습하면 정확하고도 구체적으로 대답할 수 있기 때문입니다.

- 합격사례 : 면접준비 기초_개념설명

건축학과에 지원하여 합격한 우리 학생 면접 대비를 하며 굉장히 기억에 남는 답변이 있습니다.

우리 학생의 학교생활기록부에 '건축자재로의 형상기억합금의 유용함과 한계'라는 연구주제가 있었는데요. 준비과정에서 학생에게 '형상기억합금이 무엇이냐'라고 물어보니, '형상을 기억하는 합금'이라고 답하는 것이었습니다. '그건 제대로 된 정의가 아니라 동어반복이며 그리 답하면 안된다' 라고 이야기하고 같이 정확한 의미를 찾고 같이 연습했습니다.

우리 학생만의 문제가 아니라 많은 학생들이 이렇게 가장 기본이 되어야 할 정의, 개념과 주제에 대해 지나치게 쉽고 단순하게 접근하고 답하는 경우가 굉장히 많습니다. 면접을 준비할 때 활동뿐만 아니라 내용까지 정확히, 또 구체적으로 파악해야 하며 요약, 정리해서 발화하는 것까지 연습해야 합니다.

설명할 수 없는 지식은 무의미합니다.

앞으로의 학생부 종합전형 준비와 면접 경향

2024학년도 입시를 통해 앞으로 학생부 종합 전형의 경향으로 확인된 사항과 앞으로의 준비 중심으로 쓴 글입니다.

(1) 기재될 때 확실한 활동이 필요

2024학년도 대입은 과거의 학생부 종합 면접보다 더 학교생활기록부 서류확인이 꼼꼼했습니다. 이전에 비해 자기소개서가 없고 생활기록부의 중요성이 커진 만큼 학교생활기록부의 진실성을 더 묻게 될 것이라는 제 예상이 적중된 것이기도 합니다.

진로와 직결되지 않더라도 세특에 적혀져 있는 수행평가, 토론에서 나온 소재 중 일반적으로 널리 알려진 시사 이슈나 과학, 수학적 지식이 필요한 경우 명확한 답을 요구했습니다. 학생들의 노력과 준비가 필요하기에 조금 과장된 학교생활기록부를 가져간 학생들의 경우 굉장히 당황할 수 밖에 없었습니다.

저는 비교과 지도를 하면서 기재 단계에서 원칙적으로 반드시 서론, 본론, 결론의 활동보고서 양식으로 만들고 그것을 키워드, 바탕으로 학교생활기록부에 적도록 유도하고 있는데요. 이렇게 하면 추후 학교생활기록부 기재나 세밀한 면접 대비에 문제가 없게 됩니다.

(2) 점차로 수준이 높아지는 비교과 준비과정

상당히 많은 학생들이 고3이 되어서야 다른 친구들의 생활기록부를 확인하고 비슷한 진로를 목표로 하는 다른 친구들의 상황을 알게 됩니다. 그러면서 어떤 것이 부족했는지, 구체화시켜서 어떻게 준비하는 것이 좋은 지 알게 됩니다.

사실 고등학교 과정에서 반드시 학교생활기록부 평가 혹은 점검이 필요하며 단 1회만이라도 솔루션, 피드백을 제시받아야 합니다. 현재 학교 제도권 교육에서 학생부 종합을 준비하기 굉장히 힘든 여건이기에 최소한의 객관적인 상황파악과 분석이 필요한 것입니다.

학생들이 목표로 하는 진로분야의 높은 수준의 이론과 사례를 제시하며 그것이 우리 학생의 추후 학교생활기록부나 면접에서 주요한 무기가 되도록 지도해야 합니다. 이것을 시간, 정보, 조언 모두 구하기 힘든 학생 혼자서 준비하는 것이 굉장히 힘든 일입니다.

(3) 입시 면접은 전문 영역

면접지도 현장에서 보면 학생들은 이구동성으로 '대입 면접 준비가 이런 것인지 몰랐다.' 라는 말을 하곤 합니다.

입시에서의 면접은 일반 사회면접, 일반 스피치와는 목적이나 방식이 다르기 때문에 별도의 준비가 필요합니다. '입학사정관님, 교수님이 무엇을 원하는 지', '나는 무엇을 말할 수 있고 어필할 수 있는지' 정확히 파악하여 그것에 맞게 말해야 합니다.

학생에 따라 준비할 때의 내용 보강과 확장, 준비 범위, 자료의 질과 내용, 시간 배분 연습 등 모든 것이 달라지고 이를 각각 제대로 준비한 학생이 합격할 가능성이 높습니다.

6. 인서울대 합격비결

6. 인서울대 합격비결

- 인서울대 합격비결1 : 입시는 전문가와
- 인서울대 합격비결2 : 자기주도 학습역량
- 인서울대 합격비결3 : 진로역량
- 인서울대 합격비결4 : 원서쓰기
- 인서울대 합격비결5 : 면접

인서울대 합격비결 1 :

입시는 전문가와

입시를 누구와 함께 준비하는가는 굉장히 중요합니다. 제가 운영하는 블로그의 구독자분들 중 상당히 많은 분이 현직 교사, 강사 등 교육관련 업종에 종사하시는 분들이십니다. 같은 교육업계에 있지만 구독을 해주시고 실제 많이들 상담하시는 이유는 진학전문컨설턴트가 의미가 독자적인 의미가 있는 것을 방증하는 것이라 생각합니다.

왜 전문 컨설턴트가 필요한지? 무슨 의미가 있으며 왜 입시에서 중요한지 설명드려 보겠습니다.

(1) 전문 지식 : 교과 전문 vs 비교과 전문

우선 각각 전문분야가 다릅니다. 학교 선생님이나 학원 선생님들께서는 단과, 즉 본인의 전공분야 중심으로 테스트를 받아 자격을 얻으시고 관련된 지도를 통해 현업에 종사하시죠. 그렇기 때문에 해당 분야에서는 전문가입니다.

이럴 때, 교과별 중심으로 되어 있는 학교 내신준비나 수능 대비를 할 때 최적입니다.

하지만 수시 학생부 종합전형, 비교과를 대비할 때는 적절한 준비를 하기 어렵습니다. 학생부 종합전형, 비교과, 세부능력 특기사항 등을 기재하기 위해서는 각 과목의 틀이 아닌 진로, 직업적 분야별로 그 틀에서 작성해야 하기 때문입니다.

그렇기에 저 역시 대학에서 전공한 분야가 있지만 그 전공분야의 지식에 한정하지 않고 학생의 직업, 진로희망을 중심으로 과목별로 세분화시켜 분석합니다.

여기에서 핵심적인 차이가 있고 전문 컨설턴트의 조언을 들은 학생과 아닌 학생의 차이가 굉장히 크게 나뉩니다.

전문 컨설턴트는 해당 진로, 직업분석을 전공자 수준으로 하는데, 학교, 학원선생님께서 각 학생들마다 이 수준으로 분석을 하여 본인의 교과부분에 연결시켜 줄 거라 기대하기 어렵기 때문입니다.

(2) 전문적인 접근과 분석역량 : 포괄적 설명 vs 구체적 피드백

기존에 다른 업체, 교육기관에서 상담한 학부모님 대부분이 저와 상담을 하시고 '분석 역량이 굉장히 차이가 크고, 구체적인 솔루션이 있는 것이 크게 마음에 든다'고 하시는데요.

교육 컨설팅 업체라고 해도 학생의 진로, 직업 희망과 관련한 지식적 틀과 분석 역량이 없다면 굉장히 무의미한 미사어구만 늘어놓다가 상담과 지도가 끝날 가능성이 큽니다.

즉, 현상을 분석은 하지만 관련 키워드로 적혀 있는지 여부만 판단

할 뿐, 무엇이 잘 된 것인지, 어떤 점에서 아쉬운지, 학년별, 과목별 연결에 대한 답 등은 주지 못합니다.

전문가들 사이에서도 역량 차이가 굉장히 큰 부분이고 논리력, 사고력과 폭넓은 지식을 갖춘 최고 전문가만이 이 부족한 핵심영역 부분을 잡아내고 정확하게 분석하여 솔루션을 제안할 수 있습니다.

(3) 결국 입시는 실천적 역량

기본적인 분석 평가상담과 연속적인 지도 그리고 일련의 준비, 입시에서는 각각의 의미가 있습니다.

하지만 최종적으로 중요한 것은 학생 스스로 이를 실천하여 학교생활기록부에 기술되고 실제 면접에서 자신의 활동을 제대로 잘 말하는 것입니다. 방향만 잡아주고 이런 활동들을 학생의 의사, 의지에 맡겨 놓아서는 안됩니다.

실제 학생의 적성과 진로에 맞는 키워드와 주제를 구상하고 실제 적힐 수 있도록 처음부터 끝까지 꼼꼼하게 지켜보고 관리해 줘야 합니다.

인서울대 합격비결 2 :

자기주도 학습역량

(1) 학습경험, 학업역량에 관해서

　과거 자기소개서가 있을 때 항목 중에서 '학습계획을 세우고 학습해 온 과정에 관한 부분'에 해당하며 현재의 면접에서도 그대로 좋은 질문 재료가 되어 줍니다.

　이 부분이 앞으로 얼마나 자기주도학습을 잘하고 학교에 잘 적응할지, 학생의 통찰력, 종합적 사고력은 얼마나 될 지 나타내주는 부분이기에 굉장히 중요합니다.

(2) 진로 중심으로 집약

　학생부 종합전형에서 모든 분석과 판단의 기준은 '진로'입니다. 각 세부능력 특기사항 역시 '진로'중심으로 재해석해야 합니다. 물론 각 과목의 우수성과 성취도 역시 보지만 판단해주시는 분은 대학에서 해당 해당 과목을 지도할 교수님들이십니다. 그러므로 모든 판단 필터가 진로 중심입니다.

하지만 현재 학교생활기록부는 과목 중심으로 되어 있죠. 그렇기 때문에 '진로전공'이라는 별도의 과목이 각 과목에 결합되어 있다고 생각하고 모든 틀을 짜야 합니다.

이 진로전공을 맡아 지도하거나 관리해줄 수 없기에 저 같은 교육컨설턴트가 존재하는 것이고 존재의미가 있는 것입니다.

그러므로 각 과목에서도 그 과목의 단원이나 성취만 적을 것이 아니라 진로와 관련해서 그 내용을 어떻게 학습하고 천착해서 들어갔는지 그 과정을 기술하는 것이 정말 중요합니다.

(3) 진로 활용능력을 통해 본 과목이해

세상 사람들이 말하듯이 교과목학습 그 자체로는 삶에서 의미가 없어 보일 수도 있습니다. 가령 수학 같은 경우, 대학 다닐 때나 졸업 이후 쓰지 않는 경우도 많으니까요. 하지만 당시 배웠던 수학적 사고력과 논리적 과정은 후일 삶을 살아가는데 큰 보탬이 되므

로 결코 의미가 없는 것은 아니며 반대로 굉장히 중요한 것일 수
도 있습니다.

이런 활용 가능성의 연속선에서 보면, 수학 역량을 판단할 때,
수학 성적으로 1차적인 판단을 하지만 그 외 그 사람의 역량을 판
단할 때는 '삶에서 어떤 부분에서 수학 역량을 사용하냐'고 물을
것입니다. 이것을 통해 우리는 그가 수학을 제대로 활용, 응용하고
있는지 수학적 사고력과 판단력을 잘 익히고 있는지 판단할 것입
니다.

다시 말하면 교과목 자체의 학업 역량은 성적으로 보더라도,
진정한 '교과' 능력은 단원 간, 과목 간 관련된 개념을 단순 나열
하거나 암기하지 않고 본인의 진로와 관련해서 어떻게 통합시키고,
접근하며, 해석하고, 현실에 적용하는 지를 통해 볼 것입니다.

이것이 바로 예를 든 수학뿐만 아니라 모든 과목에 있어 대학당
국, 입학사정관님, 서류평가 선생님들께서 진로분야의 적용에서 원
하는 것이라 생각합니다.

교과 고유의 개념과 활용을 '자신의 관점, 자신의 진로와 관련된 관점에서 어떻게 연결시킬까.' 하고 다양하게 생각해야 합니다.

이 때 학교생활기록부와 면접에서도 실제 학습과정에서 어려웠던 것, 시행착오를 진솔하게 나타내는 것이 좋습니다. 이 포인트에서 특히 중요한 것은 '결과'가 아닌 '결과로 이끌어가는 과정'이기 때문입니다.

(4) 교과 활용시 확장, 심화

물론 전공과 밀접한 교과목일 때는 순수하게 교과 자체의 확장, 심화를 꾀하는 경우도 있습니다. 이 때 좀 더 시간을 많이 투자하고 확장적으로 자기주도적으로 학교생활기록부의 항목을 기재하는 것이 좋습니다. 현재 관련 부분의 기재는 교과 단원 목차에 한정된 경우가 많은데, 너무 획일적이고 일반적입니다.

인서울대 합격비결 3 :

진로역량

(1) 진로 로드맵 작성의 중요성

학생부 종합전형은 '진로역량을 중심으로 학습역량과 공동체 역량이 우수한 인재를 선발하고 대학에서 키워나간다' 는 취지입니다. 그러므로 우선 학생이 진취적으로 세운 '어떤 인재가 되고자 하는지' 가 잘 담겨있어야 합니다.

이를 위해서 기존의 국어, 영어, 수학, 사회, 과학 교과 중심의 생각이나 내신, 수능 중심의 사고에서 좀 벗어나 학생의 '진로' 중심에서 생각해야 합니다.

(2) '진로'란 정확히 무엇인가?

진로를 흔히 직업과 착각하기도 합니다. 하지만 진로는 좀 더 유동적이며, 발전적인 측면을 강조합니다.

가령, '나는 화학생명공학자나 환경운동가 등이 될 것이다.'라는 것이 기존의 직업 중심적 설명이라면,

'나는 환경에 관심이 많아 관련 생화학적 특성을 연구하고 로스쿨에 진학하여 환경 관련 법안을 다루는 법조인이 되고 싶다.' 라는 것이 현재의 진로 중심적 설명입니다.

직업적 목표가 아닌 미래지향적 비전에 초점을 둔 계획이 진정한 '진로계획'입니다. 그러므로 당연히 과정에서 노력과 스토리가 있을 수 밖에 없고 그 여정에서 학생의 차별화된 학습경험과 다양한 진로탐색과정, 리더십 활동 등이 중요하게 됩니다.

(3) 진로로드맵 작성

진로로드맵은 진로설계, 구체화 노력과정, 대학진학후 계획, 향후 경력발전의 단계를 거쳐서 형성됩니다. 이 과정에서 공부할 부분, 진로에 관해 더 심화, 집중, 확장해야 할 부분을 만들어 갑니다.

학교생활기록부를 항상 주시하며, 과거와 현재, 그리고 미래를

잇는 전 진로과정 흐름(flow)과 변화, 발전에 대한 깊이있는 통찰력이 요구됩니다.

중학교 때 진로로드맵은 학생이 잘하는 적성과 원하는 직업, 진로를 매칭시키는 것에 방점이 있는 반면 고등학교 때는 실제 진로로드맵을 구체화해 나가는 능력이 중요합니다.

그러기 위해서 일단 실제 진로로드맵이 구체화된 형태인 진로컨셉주제를 발굴하려 노력해야 합니다. 진로컨셉주제의 성과물이 실제 산출물과 사례가 되어 평가 과정에 남게 됩니다. 실제 학생부종합전형 서류평가와 면접에서는 이것이 쓰이고 무기가 됩니다.

인서울대 합격비결 4 :

원서 쓰기

(1) 원서 결정시기

앞서 말씀드린대로 원래 강하게(아주 강하게) 추천하는 것은 늦어도 고2 부터 학교생활기록부 작성 정리하며 객관적으로 지원가능대학과 학과를 고려하며 시작하는 것입니다. 그런데 사실 아직도 학생부 종합전형은 준비에 관한 정보교류와 인프라가 적어 대부분 고3 1학기 중간 혹은 기말고사를 마치면 시작을 많이 하십니다. 이럴 경우 합격확률이 상당히 크게 떨어집니다.

(2) 수시 원서 작성시 유의점

수시 원서는 총 6회의 기회가 주어집니다. 주의해야 할 것은 수시 전형의 경우, 해당 대학의 입시요강에 따라서 같은 학과도 다른 전형으로 넣을 수 있다는 것입니다. 이를 위해서 원서를 준비하며 해당 학교 입학관리처에 문의로 확인하는 것이 가장 확실합니다.

또 일명 수시 납치, 즉 수시 전형은 합격 이후 정시지원이 불가능하다는 규정이 있으므로 유의해서 보셔야 합니다.

이는 일단 수시 합격이 결정되면 확정되는 것이며, 수시 합격을 하고 합격 포기를 한다고 정시지원이 가능해지는 것이 아니라 합격 사실 자체로 지원 자격을 상실하게 되므로 반드시 유의하셔야 합니다.

(3) 수시 원서 작성시 고려사항 : 학교생활기록부 평가

학교생활기록부를 객관적으로 평가받아야 합니다. 학생부 종합전형에서는 교과내신, 비교과가 모두 정성평가로 들어가므로 '학교생활기록부가 어느 정도 경쟁력을 갖추고 있느냐'에 따라서 지원전략이 달라지기 때문입니다.

학생들의 학교생활기록부를 평가해보면 학생, 학부모님들의 평가와 다를 때도 많습니다. 일단 진로방향이 정해지면 기본적인 키워드는 있기 마련이라 그 키워드가 있거나 세부능력 특기사항 등에 적혀진 양이 많으면 잘 정리되고 있는 것으로 생각할 수도 있지만

실상 그렇지 않은 경우도 많습니다.

반드시 생각할 핵심은 이 지원의 경쟁자는 바로 '동일한 진로, 비슷한 내신성적, 유사한 비교과활동과 과정을 지닌 다른 학생들' 이라는 것입니다.

나의 학교생활기록부가 다른 친구들과 달리 차별적인지, 우수한지, 특이점이 있어 경쟁력이 있는지 객관적으로 판단해야 합니다.

이를 바탕으로 내신 컷 등을 종합적으로 비교해서 다양한 지원 전략을 세워야 합니다.

인서울대 합격비결 5 :
면접

(1) 면접 준비 핵심 : 내용중심

물론 면접장 입실시 인사방식, 대답할 때의 습관 등 형식적인 것도 확인할 필요가 있습니다. 하지만 이런 것은 기본적으로 갖추어야 할 사항이며 면접 준비의 핵심은 아닙니다.

대입 면접에서 핵심자료는 서류 기반, 즉 학교생활기록부입니다. 대입 면접은 '자기주도학습 과정, 진로 탐색 노력과 계획, 공동체 의식 등에 관한 것을 알아보기 위한 면접' 이라는 것을 기억해야 합니다. 즉, '형식'보다는 스스로가 무엇으로 채워져 있고 앞으로 어찌할 지 '내용'을 잘 담아 표현 하는게 가장 중요합니다.

그렇기 때문에 스피치학원 등을 통한 면접 준비나 성인들 회사 입사에서 이뤄지는 면접 준비는 크게 도움이 되지 않습니다. 시험 장에서 면접 담당, 입학사정관 선생님들께서는 최대한 여러분들을 편하게 해주시려고 노력하실 것이고, 괜히 긴장해서 말을 못하고 표현을 못하실까 걱정해주실 겁니다.

즉, 일단 기본적인 형식을 간단히 숙지한 후에는 면접 준비시간의 대부분은 '무엇을 어떤 구성으로 말할지', 그 '내용'을 채우는 데 할애해야 합니다.

(2) 면접 준비의 핵심 자료는 학교생활기록부

면접 준비의 핵심 자료는 학교생활기록부입니다. 고등학교 학교생활기록부는 중학교 학교생활기록부와는 달리 그 자체로 면접 없이도 합격여부를 결정하는 학교도 많을 정도로 크게 반영되며, 굉장한 중요성을 지닙니다.

특히 창의적 체험활동과 세부능력 특기사항의 기재부분이 매우 중요합니다. 원칙적으로는 교과부분의 교과내용에 대해서 묻는 것을 지양해야 하지만 최근에는 교과부분이 진로와 관련성이 있을 때는 기초학업수행능력을 알기 위해서 묻는 경향이 많아졌습니다.

그러므로 조금이라도 진로와 관련이 있다면 교과내용에 대해서도 많은 준비를 해야 합니다.

창의적 체험활동과 세부능력 특기사항 부분 외에도 학교생활기록부 내용 중 전체적인 진로 역량, 공동체 역량과 연관되는 부분을 발췌하거나 발굴하여 활용할 수 있습니다.

2024학년도 대입 이전에 자기소개서가 있을 때는 자기소개서를 통해서 진로의 방향을 밝혀주고 학생의 학업역량, 진로탐색노력, 공동체 역량을 이야기해 주었습니다.

하지만 자기소개서가 폐지가 되어 유도할 수 있는 기준이 없어졌습니다. 그래서 중요성과 가중치가 학교생활기록부 각 분야에 널리 퍼지게 되고 세밀한 분석과 준비가 매우 중요하게 된 것입니다.

(3) 학교생활기록부 소재 추출 및 문항지 작성

학교생활기록부의 각 항목에서 학습경험, 진학동기, 학습계획, 진로목표, 공동체 활동 과정에 관한 내용을 확인해 봐야 하고 지도하면서 학생과의 면담을 통해서 구체적인 경험으로부터 답을 끌어내야 합니다.

사실 소재발굴 및 추출, 그리고 답변으로 만드는 일련의 과정은 글로 표현하기도 어렵고 실제로도 상당히 어려운 기술입니다.

하지만 이렇게 해야 학생의 능력과 잠재력을 최대한 드러낼 수 있으며 합격가능성이 높아집니다. 이 부분들이 대입 면접 컨설턴트가 가장 중요하게 기여할 수 있는 영역입니다. 단지 말하는 것을 배우는 것은 대입 면접 도움의 극히 일부분입니다.

(4) 말솜씨와 실력 그리고 면접 준비

말솜씨가 좋다고 반드시 면접을 잘 볼 수 있는 것은 아닙니다. 말을 잘 한다는 것과 '내용이 채워진 말을 하는 것'은 다르기 때문입니다.

또 평소 전공역량에 관해서 많은 준비가 되었다고 잘 준비가 된 것은 아닙니다. 종종 지켜보면 알고 있는 것은 많은데, 제한된 시간 내에 잘 이야기하지 못하거나 지식 나열식으로 말하는 경우도 많습니다.

이럴 때 적절한 답 구성방식과 말의 내용을 동시에 지도를 하면서 역량을 채워줘야 합니다. 기본적인 말솜씨가 좋은 학생들은 내용을 확충해줘야 하고, 장황하게 말하는 학생들은 선택과 집중을 통해 말할 것을 선별해 주는 등 학생에 따른 균형적인 솔루션이 필요합니다.

(5) 답변 구성 틀의 중요성

또 흔히 말을 잘하지 못하는 학생들은 스피치 학원이라도 보내려 하시는 경우가 많은데 말을 잘 못하는 것은 언어적 활용의 문제이기보다는 핵심 키워드를 잘 끌어내지 못하는 문제인 경우가 많습니다.

면접에서 조리있게 잘 말하는 능력은 '키워드를 어떻게 짜고 그것을 문장화시켜서 기승전결로 나타내는가.'와 관련이 깊습니다. 그렇기 때문에 질문 유형별로 적절한 문장구성 형식을 알려주고 그 틀에 맞춰 학습시킨 내용을 말할 수 있도록 지도해야 합니다.

말을 계속 반복해서 말을 잘 나오게 만드는 것보다 질문유형마다 어떤 구조로 이야기를 구성하고 표현하는 지를 지도해야 더 효율적이고 원하는 효과를 얻을 수 있습니다.

저는 그래서 실전 지도에서 각 질의 유형별로 '문장 단위로 어떤 식으로 답변을 구성하는 지 보여주는 방식'을 취합니다. 기본 틀에 맞춰 준비하면 글도 유기적이며 풍성해지고 학생도 굉장한 실력향상을 볼 수 있습니다.

이렇게 좋은 조언자 혹은 전문가와 면접 준비를 한다면 비효율 없이 형식적인 면의 시간, 발화방식, 문장구조를 체크하면서 동시에 내용의 내실을 채워나가며 최적의 면접 준비를 할 수 있습니다.

(6) 학교, 친구를 통한 모의 면접을 할 지

'학교 모의면접이나 친구들과 그룹을 짜서 준비하는 모의면접을 하는 것이 좋을지' 도 많이 물어보십니다. 전문가 혹은 믿을 만한 조언자와 함께 구성과 내용을 잘 체크했다면 그 면접지도로 충분하며 따로 할 필요가 없다고 말합니다.

입시 면접에서는 앞에 말씀드린 것처럼 내용적인 준비가 '주'가

되므로 일단 형식적인 면에서만 준비하는 것은 큰 도움이 되지 않습니다. 학교 모의면접이나 친구들과 준비하는 것은 대부분 예상문제를 뽑고 관련된 내용을 말하는 것을 봐주는 형식에 중점을 두고 진행됩니다.

선생님이나 상대 면접관(친구)들이 내용에 대한 준비가 안 되어 있는 경우가 많아, 실제로는 고치기 어려운 습관, 자세 등 개인적인 부분을 건드리는 네거티브 방식(단점에 초점)으로 진행되는 때가 많습니다. 이러면 준비를 하면 할수록 자칫 자신감, 자존감을 잃을 가능성이 높고 정작 중요한 내용 보완에는 신경 쓰지 못하게 됩니다.

설상가상으로 직전에 이럴 경우, 학생의 성격, 받아들임에 따라 자신감이 하락하여 큰 타격을 입을 수 있습니다.

(7) 면접은 개인면접 : 일대일 지도원칙

현재 학생부 종합의 서류기반면접은 대부분 각 지원 학생의 학교생활기록부를 서류자료로 개별면접문항을 구성하고 그것의 그

답을 물어보시는 형태로 진행됩니다.

일반적인 대답 형식과 기본 매너 등에 관한 부분은 같이 준비할 수 있지만 학생들마다 진로, 학습경험, 앞으로의 계획 등이 모두 다르므로 개별적으로 일대일로 답변을 구상하고 준비하는 과정이 필수입니다.

일부 학원에서 면접을 대비할 때, 지망학교, 유사계열별로 묶어서 수업하고 그 중 아주 약간의 시간만 상담 식으로 개인별로 개별 문항을 만들고 체크해 주곤 합니다. 하지만 이는 학생들에게 최적의 방식, 솔루션은 아닙니다.

총 시간에 비해 연습시간이 줄어들거니와 무엇보다도 학생들의 진로가 같거나 유사하여 컨셉이라도 겹치면 답이 비슷해질 수 있습니다. 그러면 답의 참신성이 떨어져 차별성을 내보일 수 없습니다.

(8) 실질적인 당락이 좌우되는 포인트? 학생 우수성

대학입시는 결과론이며 선발과 배제를 겸한 과정입니다. 한정된 합격이라는 자리를 놓고 반드시 당락과 순위를 가리게 됩니다. 당연히 경쟁은 필연입니다. 그렇기 때문에 하루라도 오래, 제대로 준비한 학생들이 유리합니다.

즉, 면접은 '학생 개개인의 우수성을 학교에 어필하여 학교에서 원하는 학생을 선발하는 최종적인 과정' 임을 기억해야 합니다.

학생 개개인의 우수성이 무엇보다 중요합니다.

자신만의 우수성을 입증하는데 최선의 노력을 기울여야 합니다. 많은 노력과 준비로 어떻게 실력으로 대표되는 학생의 우수성과 공동체 역량으로 대표되는 매력을 보여주는 지가 중요합니다.

나오며 : 입시성공에 가장 중요하신 분
학부모님

나오며 : 입시성공에 가장 중요하신 분_ 학부모님

제가 오랜 기간 입시를 경험하며 학부모님들께서 정말 자녀의 입시성공에 중요하다는 것을 매년 느끼고 실감합니다. 많은 학부모님들께서 공부를 대신해 주실 수는 없지만 자녀의 합격, 성취라는 좋은 길을 만들어주고 계십니다.

어떤 모습과 노력이 이런 좋은 결과를 낳을까요?

여러 요소가 있겠지만 전 학부모님들께서 '신뢰와 믿음을 토대로 한 과감한 실천력이 중요하다.'고 생각합니다.

왜 과감함이 중요할까요? 제가 경제학을 공부하면서 삶에서 가장 영감을 많이 받은 개념으로 '지불용의' 개념이 있습니다. 경제학에서 '재화를 구입하려는 희망자가 재화를 구입하기 위해 기꺼이 지불하는 최고금액'을 의미하며 이 지불용의가 재화의 가격을 넘어설 때 비로소 거래가 이뤄집니다.

경매에서 단적으로 볼 수 있듯이 자본주의에서는 원칙적으로 희소한 자원에 대해 이 지불용의가 가장 높은 사람이 해당 재화를 가져갑니다. 굉장히 중요한 포인트입니다.

이 때 '재화' 대신 '합격'이란 글자를 넣으면 바로 교육에 적용이 됩니다. 즉, 가장 많은 시간과 비용, 정성을 포함한 '지불용의'가 가장 높은 학생이 합격할 확률이 높아지거나 합격하게 되는 것입니다.

흔히들 '기회를 잡는다'고 합니다. 모든 경쟁에서 감당가능한 범위의 리스크를 안고 과감히 시간과 비용을 투자한 이가 유리하게 됩니다. 정말 다수의 치열한 경쟁 상황에서 학부모님과 학생의 우유부단함이나 결정 연기, 미결정은 정말 큰 타격이 있습니다. 누가 봐도 간절한 이에게 기회와 성공은 돌아갑니다.

또 신뢰와 믿음으로 자녀와 지도 컨설턴트를 지켜보시고 도와주셔야 합니다.

몸이 아플 때 나의 모든 병력을 파악할 뿐 아니라 사정을 살필 수 있는 믿을 수 있는 주치의가 있는 것은 큰 의지와 힘이 됩니다. 아는 친구나 지인 변호사가 있어서 주기적으로 법적 문제나 대응을 상담하고 해결에 도움을 받는 것도 마찬가지입니다.

현대의 전문영역에서 자기 자신이 일을 직접 처리하기는 굉장히 어렵습니다. 교육에 있어서도 마찬가지입니다. 신뢰와 믿음을 주는 조언자의 도움으로 어려운 입시의 길고 험한 터널을 밝힐 큰 등불이 되어 줄 수도 있습니다.

'내가 우리 아이, 자녀에게 무슨 도움이 되겠어?' 라고 생각하지 마시고 적극적인 관심과 지원으로 학생의 성공을 이끌어 주시고 어려운 시기, 함께 함을 통해 부모와 자녀 간 오랜 유대감의 좋은 기틀을 만드시기 바랍니다.

부록 : '수시 학생부종합으로 대학가기' 실전 도움 받으시는 방법

합격을 위해 책으로 입시에 대한 이해도를 높이시고, 학생 케이스에 따라 조언을 듣고 지도를 받으며 전문가인 교육컨설턴트와 함께 하는 것이 중요합니다.

'카이로스 입시전략' 최윤성 컨설턴트를 찾아주시기 바랍니다.

1) 블로그 : 교육정보모음_
교육컨설턴트 최윤성입니다.
https://blog.naver.com/soon1039

2) 직접 상담 문의(미리 연락처 후)
- 평촌 사무실 : 서울, 경기, 인천 포함 수도권 각 지역 상담가능
합니다.
- 광명KTX역 사무실 : 지방 각 지역 및 광명 인근
- 연락처 : 010-8806-1039 로 연락이나 문자주세요.

3) 강연의뢰 및 협업신청(지자체, 학원, 도서관, 교육에이전시 등)

이메일신청 : soon1039@naver.com

4) 네이버 팬 밴드

책을 읽고 더 자세히 자사고, 외고, 국제고 관련 입시 방법에 대해서 알고 싶으시거나 소통하고 싶으신 분들께서는 팬 밴드에 가입해주세요. 가급적 자주 소통하겠습니다.

'카이로스 입시전략' https://band.us/band/93892646

카이로스 입시전략